LES GUERRES MONDIALES

FLEURUS
www.fleuruseditions.com

L'astérisque (*) signale les mots expliqués dans le lexique p. 150.

Les pictogrammes de la frise aident à identifier la nature de l'information :

Politique

Affaires militaires

Économie et commerce

Géographie

Morts et fléaux

Religion

Sciences et techniques

Architecture

Vie quotidienne

Culture

Texte : Jean-Pierre Verney
Édition : Servane Bayle
Contribution rédactionnelle : Isabelle Macé
Direction artistique : Isabelle Mayer et Armelle Riva
Mise en page : Catherine Enault
Fabrication : Audrey Bord et Thierry Dubus

1914-1918
PREMIÈRE GUERRE

Sommaire

Sur les cendres du Second Empire

En 1870, une guerre éclate entre la France de Napoléon III et les États allemands conduits par la Prusse. Rapidement battue, une partie de l'armée française capitule le 2 septembre et l'empereur est fait prisonnier. Deux jours plus tard, le Second Empire est renversé et la Troisième République est proclamée.

Tragique défaite

Le 18 janvier 1871, les États allemands proclament leur unité et fondent le IIe Reich* dans la galerie des Glaces du château de Versailles. Le 10 mai 1871, le gouvernement français a l'humiliante responsabilité de signer le traité de paix de Francfort imposé par les vainqueurs. La France doit payer une rançon exorbitante et, tragique humiliation, céder l'Alsace et une partie de la Lorraine. Elle est désormais isolée, affaiblie et meurtrie face à une Allemagne conquérante, industrielle, militarisée et connaissant une forte natalité. Au-delà du sentiment de revanche, les gouvernements français successifs vont alors lutter pour sortir le pays de son isolement et lui faire retrouver sa place parmi les grandes nations.

Jour de gloire pour la Prusse après la victoire militaire contre la France. Les États allemands proclament leur unité au château de Versailles.

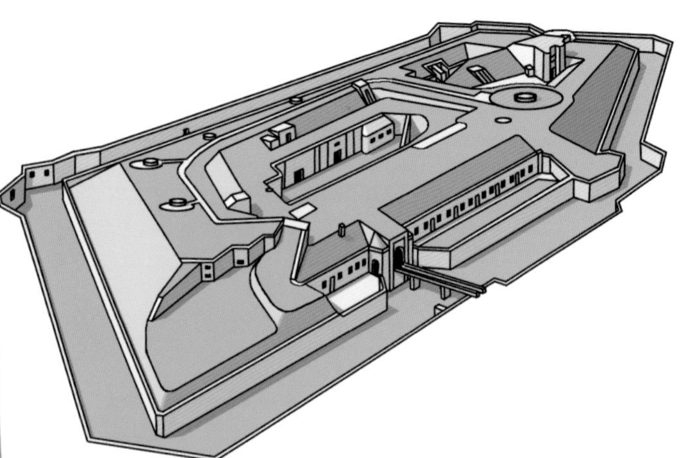

Une frontière à réorganiser

Dès 1875, la France commence la réorganisation de son armée. Le service militaire est devenu obligatoire pour tous les jeunes gens. Les frontières de l'Est, désorganisées par l'amputation des départements de l'Alsace et de la Moselle, sont peu à peu rendues infranchissables : de nouvelles fortifications sont construites pour retenir une éventuelle armée d'invasion, le temps que se réunissent les troupes françaises.

Perspective du fort français d'Uxegney, près d'Épinal, avant la guerre.

27 juillet 1872
Le service militaire obligatoire est institué en France. Il est alors de 5 ans. Il est réduit à 3 ans en 1889, puis à 2 ans en 1905.

mars 1896
À l'initiative du baron Pierre de Coubertin, les premiers Jeux olympiques débutent à Athènes, rassemblant 14 pays.
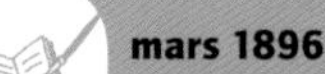
Les deuxièmes Jeux seront organisés à Paris en 1900 dans le cadre de l'Exposition universelle.

Favoriser des alliances

En 1891, à la suite d'une discorde entre le jeune empereur d'Allemagne Guillaume II et son cousin le tsar de Russie, Paris et Saint-Pétersbourg se rapprochent. Les deux pays signent des accords politiques et militaires, qui sont régulièrement renouvelés et améliorés jusqu'en 1914. Tranquillisée à l'Est, la France essaie de se rapprocher de l'Italie puis surtout de la Grande-Bretagne. Pourtant, une sévère rivalité coloniale* oppose Paris et Londres, et de nombreux incidents militaires ont déjà éclaté entre les deux nations dans leur conquête de nouveaux territoires. Mais les diplomates parviennent à négocier des accords et une Entente* cordiale naît en 1904 entre les deux pays.

L'alliance franco-russe est annoncée en 1897 au cours de la visite du président français Félix Faure en Russie.

Des rivalités qui s'accentuent

La politique allemande n'est pas étrangère à ce rapprochement franco-britannique. L'Angleterre, encore première puissance économique à la fin du XIXe siècle, se voit en effet concurrencée non seulement par les États-Unis, mais aussi par l'Allemagne. De plus, Guillaume II favorise la construction d'une puissante flotte de guerre allemande, et proclame que l'avenir de son pays est sur l'océan, ce qui contrarie la suprématie maritime de la Navy*. Cette course à la puissance et aux armements existe également entre la France et l'Allemagne.

Un des nombreux chantiers navals allemands.

LA FIN DE L'ISOLEMENT

L'isolement diplomatique de la France a été voulu par le chancelier allemand Bismarck, qui a pour cela conclu des accords avec de grands pays d'Europe : l'Autriche-Hongrie, la Russie et l'Italie. Mais en 1890, il est mis à l'écart par le jeune et nouvel empereur Guillaume II, ce qui accélère le retour de la France sur la scène internationale. Le rapprochement progressif avec la Russie (de 1875 à 1893), puis avec l'Angleterre à partir de 1904, redonne enfin à la diplomatie française son autorité et sa grandeur. Ici, le roi d'Angleterre George V en visite officielle à Paris en avril 1914.

30 mars 1900
Le Parlement français limite à 11 heures le travail journalier des femmes et des enfants (contre 12 heures pour les hommes). Cette loi, dite loi Millerand, organise sur plusieurs années la transition vers la journée de 10 heures pour tous.

22 janvier 1901
Décès de la reine Victoria, reine de Grande-Bretagne et d'Irlande, et impératrice des Indes. Son long règne de 63 ans, appelé l'ère victorienne, coïncide avec l'apogée de la puissance mondiale de son pays. Son fils Édouard VII lui succède.

Une Europe partagée

À partir de 1890, l'Europe se divise peu à peu en deux groupes rivaux. D'un côté l'Allemagne, l'Autriche-Hongrie et l'Italie forment ce que l'on appelle la Triple-Alliance* ; de l'autre, la France, la Russie et l'Angleterre se rassemblent en une Triple-Entente*. Les tensions montent...

Une paix armée

Cette division progressive du vieux continent en deux blocs distincts et rivaux conduit à une course aux armements dangereuse et coûteuse. Chaque pays s'emploie à fabriquer des armes égales ou supérieures à celles de son voisin. L'artillerie* profite d'inventions révolutionnaires : la poudre sans fumée et la manipulation sans danger d'explosifs très puissants bouleversent les méthodes de combat. Au fusil français Lebel de 1886 répond le Mauser allemand de 1898. Au canon français de 75 mm s'oppose le canon allemand de 77 mm. Au cuirassé allemand répond le super-dreadnought* anglais... Cette rivalité entraîne également un inquiétant renouveau des idées nationalistes*. Rassurés par leurs alliances, les gouvernements se contentent surtout de surveiller les progrès militaires du voisin, et de s'assurer du loyalisme de leurs alliés.

LA POUDRIÈRE DES BALKANS

En 1912, les États balkaniques s'associent pour mettre fin à la longue domination de l'empire turc. La Serbie, la Bulgarie, la Grèce et le Monténégro entrent en guerre contre les troupes ottomanes. Rapidement défaites, ces dernières abandonnent la plus grande partie de leurs possessions européennes. Mais le partage des territoires libérés divise les vainqueurs. En 1913, une seconde guerre éclate. La Bulgarie attaque la Serbie et la Grèce, puis se retrouve en lutte contre le Monténégro, la Roumanie et même la Turquie. Une nouvelle paix est signée en août. Elle permet à la Serbie de doubler son territoire, mais provoque d'importants mouvements de populations.

Une course aux effectifs

La course aux armements se double d'une course aux effectifs particulièrement intense entre la France et l'Allemagne. En 1913, les deux pays prennent de nouvelles mesures pour accroître leurs forces militaires. L'Allemagne augmente de presque 100 000 hommes ses effectifs de temps de paix. Elle vote également des crédits très importants, principalement pour accélérer le renforcement de son artillerie lourde et la construction de navires. En France, malgré une forte contestation populaire, le Parlement fait passer de 2 à 3 ans le service militaire obligatoire.

En janvier 1914, en France comme en Allemagne, les deux armées d'active* sont sensiblement égales et comptent chacune environ 850 000 hommes. (Ici, une revue dans une caserne française.)

10 décembre 1901
Les premiers prix Nobel sont décernés. Celui de la paix revient à Henri Dunant, fondateur des sociétés de la Croix-Rouge.

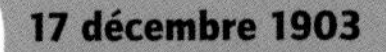

17 décembre 1903
Les frères Wright font décoller un avion pour la première fois, aux États-Unis. Le 25 juillet 1909, le constructeur et aviateur français Louis Blériot traverse la Manche en 37 min. Les progrès en matière d'aviation se poursuivent rapidement.

Les empires coloniaux

Les colonies* sont également une cause de tensions. Longtemps absente de ce partage des continents africain et asiatique, l'Allemagne se réveille à la fin du XIXe siècle et veut elle aussi sa part. En 1905, Berlin s'oppose à la présence française au Maroc. Une conférence internationale évite que la crise ne dégénère. Cependant, un nouvel incident éclate en 1911 : le Reich* conteste une intervention militaire française, toujours au Maroc. L'Europe s'inquiète du risque de guerre, mais un accord est trouvé. En échange d'un protectorat français sur le Maroc, Paris cède 275 000 km² de sa colonie du Congo, qui viennent agrandir la colonie allemande du Cameroun.

LES COLONIES FRANÇAISES

En 1914, l'empire colonial français est le deuxième après celui de la Grande-Bretagne. Ses colonies et ses protectorats rassemblent une population de 41 millions d'habitants sur une surface de presque 11 millions de km². L'expansion coloniale, la pacification puis l'administration des espaces conquis ont progressivement obligé la République à organiser une force militaire coloniale spécialement réservée à ces tâches. Ci-dessous, la prise de Sontay en décembre 1883 (image d'Épinal illustrant la conquête de l'Indochine).

Visite de l'empereur allemand Guillaume II à Tanger (Maroc) le 31 mars 1905 : un moment crucial, source d'une profonde crise entre la France et l'Allemagne.

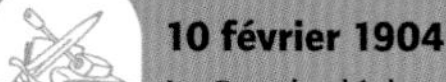

10 février 1904
La Russie déclare la guerre au Japon. Résultant de leur lutte pour le partage de la Mandchourie et de la Corée, ce conflit se solde en septembre 1905 par une large victoire du Japon (c'est la première victoire d'un pays non européen sur une puissance européenne).

20 juillet 1906
La Finlande est le premier pays européen à accorder le droit de vote aux femmes. Elle sera suivie en 1913 par la Norvège.

La marche à la guerre

Malgré la division de l'Europe, rien, au début de l'année 1914, ne laisse entrevoir une crise majeure et internationale. Tout bascule le 28 juin à Sarajevo, capitale de la Bosnie-Herzégovine annexée par l'Autriche-Hongrie : l'héritier du trône austro-hongrois, l'archiduc François-Ferdinand, est assassiné avec sa femme pendant une visite officielle. L'Europe est stupéfaite.

Couverture illustrée du *Petit Journal* sur l'attentat de Sarajevo.

L'étincelle qui met le feu aux poudres

L'attentat éclate comme un coup de tonnerre. Gavrilo Princip, le meurtrier, est un Bosniaque d'origine serbe de 19 ans, manipulé par une organisation secrète serbe. Immédiatement arrêté, il déclare vouloir soutenir les minorités serbes oppressées par le pouvoir austro-hongrois. Les réactions internationales sont unanimes pour dénoncer l'assassinat. Celui-ci révèle pourtant très vite la grande fragilité de l'équilibre européen. Les diplomates essaient bien de limiter la colère du gouvernement austro-hongrois, mais sans résultat. De son côté, l'empereur allemand Guillaume II encourage Vienne à se montrer intransigeante envers la Serbie, considérée comme coupable.

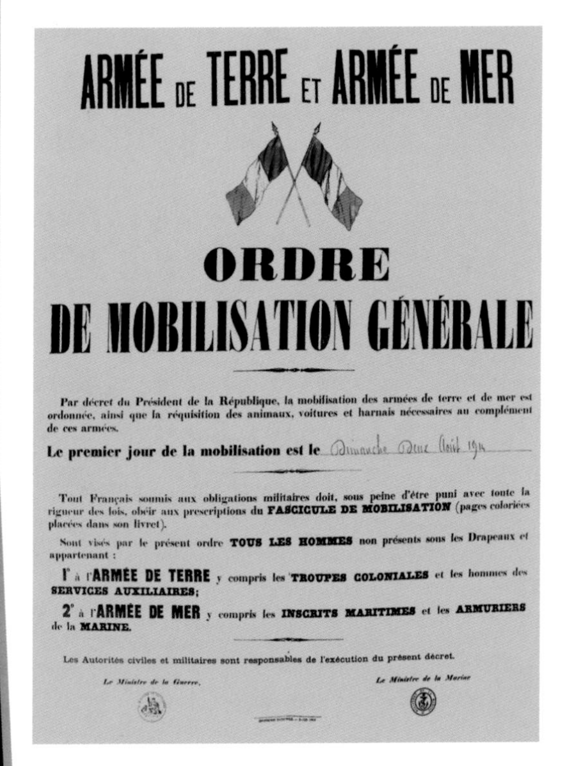

ARMÉE DE TERRE ET ARMÉE DE MER

ORDRE

DE MOBILISATION GÉNÉRALE

Par décret du Président de la République, la mobilisation des armées de terre et de mer est ordonnée, ainsi que la réquisition des animaux, voitures et harnais nécessaires au complément de ces armées.

Le premier jour de la mobilisation est le Dimanche Deux Août 1914

Tout Français soumis aux obligations militaires doit, sous peine d'être puni avec toute la rigueur des lois, obéir aux prescriptions du FASCICULE DE MOBILISATION (pages coloriées placées dans son livret).

Sont visés par le présent ordre TOUS LES HOMMES non présents sous les Drapeaux et appartenant :

1° à l'ARMÉE DE TERRE y compris les TROUPES COLONIALES et les hommes des SERVICES AUXILIAIRES;

2° à l'ARMÉE DE MER y compris les INSCRITS MARITIMES et les ARMURIERS de la MARINE.

Les Autorités civiles et militaires sont responsables de l'exécution du présent décret.

Le Ministre de la Guerre, *Le Ministre de la Marine*

Une décision lourde de conséquences

Après quelques hésitations, Vienne, qui se sait soutenue par Berlin, adresse un ultimatum à Belgrade. Elle lui impose volontairement des clauses inacceptables, contraires à la souveraineté du petit royaume. Sous la pression de Paris, la Serbie accepte pourtant la quasi totalité des conditions autrichiennes. Malgré tout, l'Autriche prend le risque d'un conflit européen et lui déclare la guerre le 28 juillet. Conformément à ses accords avec la Serbie, la Russie ordonne aussitôt une mobilisation partielle de ses forces. Cet ordre déclenche partout ailleurs l'engrenage des mobilisations. En effet, les états-majors des différents pays ne veulent pas se trouver en défaut ou en retard face à une menace ennemie. Les militaires débordent peu à peu les diplomates, et imposent à leurs gouvernements des décisions qui ne font qu'aggraver la crise.

10 mai 1914
Second tour des élections législatives en France (les dernières avant 1919). Les socialistes en sortent vainqueurs : le Bloc des gauches dispose de la majorité absolue à la Chambre des députés.

28 juin 1914
L'archiduc François-Ferdinand, héritier du trône austro-hongrois, et sa femme Sophie von Hohenberg sont assassinés par Gavrilo Princip, un lycéen de 19 ans. Celui-ci déclare vouloir venger les Serbes de l'oppression dont ils sont victimes.

Une mécanique bien huilée

L'ordre de mobilisation russe provoque une réaction en Allemagne qui déclare l'état de danger de guerre. Le 1er août à 16 h, la France proclame à son tour la mobilisation générale. L'Allemagne suit une heure plus tard, puis déclare la guerre à la Russie dans la soirée. Le 2 août, l'Allemagne et la Turquie signent un traité secret d'alliance contre la Russie. À 19 h, après avoir envahi le Luxembourg, les Allemands exigent le libre passage par la Belgique. L'Angleterre déclare alors vouloir garantir la neutralité du petit royaume belge en vertu d'un traité de 1831. Le 3 août, l'Italie annonce publiquement sa neutralité et le même jour, à 13 h 40, l'Allemagne déclare officiellement la guerre à la France. Le 4 août, les troupes allemandes pénètrent en Belgique. Avant minuit, Londres déclare donc à son tour la guerre au Reich*. La Première Guerre, qui sera mondiale, vient de commencer...

À Berlin, dans les casernes, les régiments se préparent à rejoindre les frontières.

À Londres, la foule se rassemble à l'annonce des mobilisations en Europe.

DE MULTIPLES CAUSES

Au-delà du simple jeu des alliances entre pays, les causes de la guerre restent multiples. Le poids des impérialismes* nationaux, celui des conflits passés et la très ancienne rivalité entre les peuples germains et slaves ont joué un rôle important. Mais la peur de l'autre, associée à l'assurance de son bon droit et à la certitude de sa puissance militaire, ont également influencé des populations préparées depuis des décennies à une possible guerre.

15 juillet 1914
Le président français Raymond Poincaré s'embarque pour un voyage officiel en Russie. Il est reçu le 20 juillet par le tsar Nicolas II. Mais la crise internationale abrège le voyage. La délégation française est de retour le 29 juillet à Paris.

28 juillet 1914
Le président des États-Unis, Woodrow Wilson, offre sa médiation aux Européens pour éviter le conflit. Il n'obtient pas de réponse.

Des plans jugés infaillibles

Cette guerre à venir, chaque pays l'a envisagée, étudiée et préparée. Depuis des années, des plans d'opérations sont prêts. Ils ne s'appliquent qu'à des affrontements en rase campagne. Les états-majors comptent sur la grande rapidité d'action des armées. Ils sont conscients que les opérations seront violentes, mais croient que la guerre sera brève.

Le général Schlieffen, concepteur de la manœuvre allemande.

La stratégie allemande

Le plan allemand, appelé Schlieffen, tient compte de l'alliance franco-russe *(voir p. 7)*. Pour Berlin, celle-ci rend inévitable une guerre sur deux fronts. En 1898, lorsque le général Schlieffen propose sa manœuvre, les nouvelles fortifications françaises des frontières de l'Est sont presque achevées. Elles représentent un obstacle difficilement franchissable, qu'il envisage de contourner par le nord en violant la neutralité du Luxembourg et de la Belgique. Il imagine une puissante force d'invasion se déployer rapidement sur le territoire belge, traverser le nord de la France, puis la Basse-Seine, contourner Paris par le sud, et remonter vers l'est sur les arrières des armées françaises. Ce grand coup de faux doit, en moins de 45 jours, briser les troupes ennemies. Ensuite, l'Allemagne s'attaquera à la Russie qui, à cause de son immense territoire, rassemble plus lentement ses soldats.

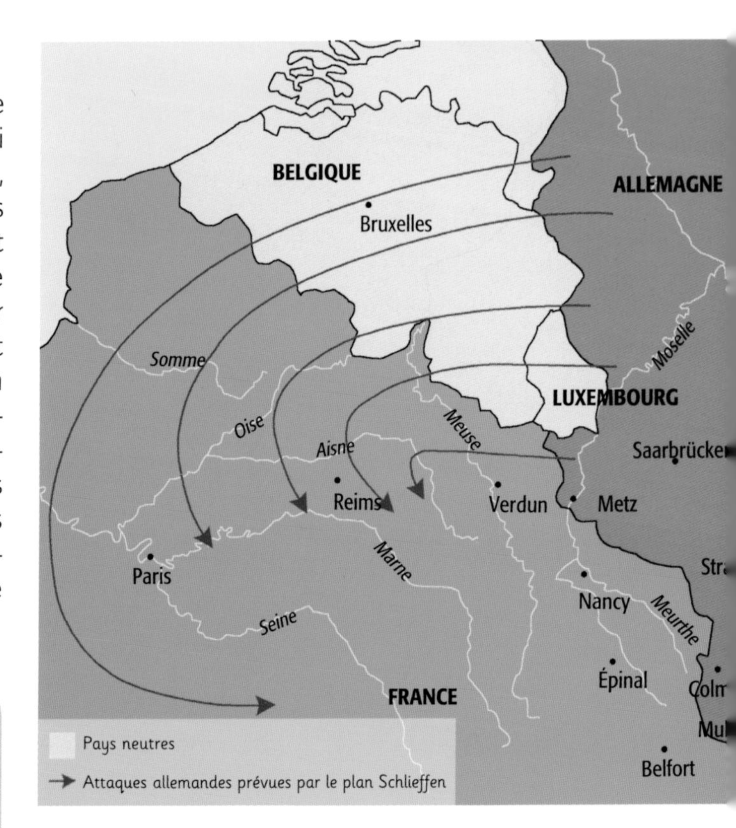

L'ARMÉE ALLEMANDE EN 1914

Pour une population de 67 millions d'habitants, l'armée d'active* compte environ 870 000 hommes. En cas de mobilisation, elle s'accroît grâce à un premier renfort de plus de 3 millions de réservistes*. Le service militaire, obligatoire, dure 2 ans pour un fantassin*, 3 pour un cavalier ou un artilleur. Héritière de la victoire de 1870, disciplinée et bien entraînée, l'armée jouit d'un véritable prestige. Elle est le symbole de l'unité allemande et l'orgueil de la société. Un corps d'officiers, véritable caste dans l'empire, y assure un état d'esprit élevé, et Guillaume II en est le chef incontesté et bienveillant.

Le plan autrichien

Comme le plan allemand, il est basé sur la rapidité : écraser la Serbie en une campagne éclair, tout en se protégeant sur les frontières de l'Est ; puis se retourner et se joindre aux forces allemandes pour envahir la Russie.

30 juillet 1914
Pour éviter tout incident à la frontière, le gouvernement français donne l'ordre aux troupes stationnées aux limites de l'Alsace-Lorraine allemande de reculer de 10 km.

31 juillet 1914
En France, avant que la mobilisation générale ne soit proclamée, une dépêche des autorités militaires invite les maires à avertir les propriétaires de chevaux de se tenir prêts à conduire leurs montures au centre de réquisition.

Le général Joffre qui, à partir de 1911, a la responsabilité des armées françaises.

Du côté français

Appelé XVII, le plan français, moins ambitieux que celui de Schlieffen, est défendu par le général Joffre. Il prévoit de fortes offensives en direction de la Lorraine allemande, pour bousculer le dispositif ennemi. Dans le même temps, des actions vers la plaine d'Alsace - annexée par l'Allemagne en 1871 - doivent rétablir la souveraineté française. Au nord, les armées françaises retiendront la droite des troupes allemandes, tout en étant probablement appuyées par un contingent britannique si la neutralité belge est bafouée. Dès 1903, le commandement français a été informé de la probable violation du Luxembourg et de la Belgique par l'armée du Reich*. Mais Joffre estime que les effectifs allemands ne seront pas suffisants pour constituer cette dangereuse force d'invasion et permettre cette grandiose manœuvre.

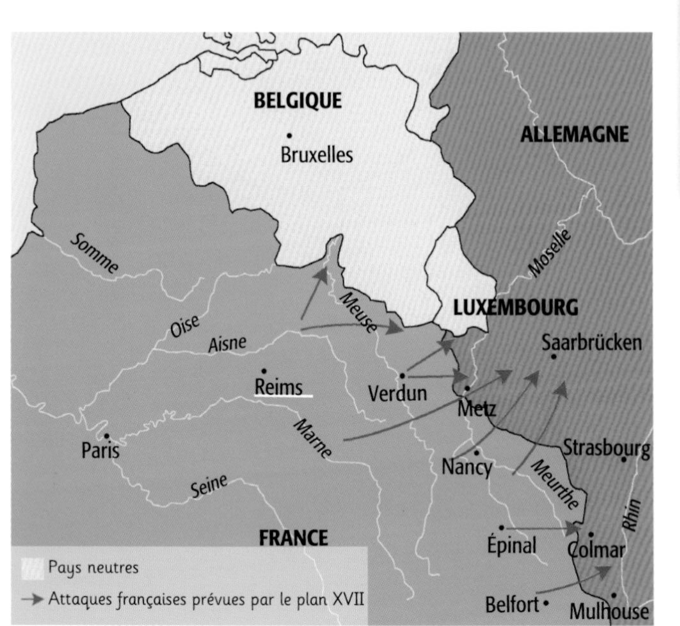

L'ARMÉE FRANÇAISE EN 1914

Pour une population de 39 millions d'habitants, l'armée d'active représente environ 850 000 hommes. En cas de mobilisation, elle est immédiatement renforcée par l'appel de 2 millions d'hommes de 22 à 33 ans, nommés réservistes, et de plus de 1 million d'hommes de 33 à 45 ans, les territoriaux. Le service militaire est obligatoire et dure 3 ans. L'esprit, résolument offensif, privilégie l'attaque et la charge à la baïonnette.

Le plan russe

Concerté avec l'état-major français, il prévoit une attaque de la Prusse allemande dès le quinzième jour de mobilisation. Ce "retard" est dû aux difficultés du rassemblement des troupes russes, contrarié par le mauvais état des voies de communication routières et ferrées. De plus, bien qu'elle soit forte de 1,4 million d'hommes, l'armée d'active souffre du manque de cadres et du peu d'instruction des soldats. La production industrielle est également désorganisée par la corruption. Il en résulte des approvisionnements en armes, habillement, munitions et vivres inférieurs aux besoins.

Un escadron de cavaliers russes, ici des cosaques*, défilant lors d'une cérémonie officielle.

2 août 1914
Avant même d'avoir déclaré la guerre à la France, les Allemands envahissent le Luxembourg, pays pourtant neutre. Ils donnent ainsi le "coup d'envoi" de la Première Guerre mondiale.

5 août 1914
Le gouvernement français institue la censure de l'information : interdiction de publier des articles ou cartes postales susceptibles de démoraliser les troupes ou la population, présentant du matériel nouveau, nuisant aux relations diplomatiques...

Les uniformes des fantassins

En ce début de XXe siècle, la majorité des soldats se trouvent dans l'infanterie* : ces "hommes à pied", appelés fantassins, représentent environ 70 % des effectifs. La plupart des autres soldats servent dans des armes dites techniques ou savantes, comme la cavalerie, l'artillerie*, ou le génie.

Le fantassin français

Son uniforme très voyant est encore proche de celui du combattant de la guerre de 1870. Sa coiffure est un simple képi de couleur rouge, dite garance, recouvert d'une housse bleu foncé faisant office de camouflage. Une lourde et inconfortable capote de laine bleu foncé reste le vêtement principal. Le numéro du régiment est cousu sur le col. Le pantalon en drap de laine, également de teinte garance, est voyant. Un sac rigide, lourd et encombrant, pèse sur les épaules du soldat. Un ceinturon et trois cartouchières en cuir lui serrent le ventre. Un bidon de 1 litre, une musette, un outil individuel (le plus souvent une pelle) et une baïonnette complètent l'ensemble, sans oublier le fusil Lebel adopté en 1886.

LE RÉGIMENT D'INFANTERIE FRANÇAIS

En 1914, l'armée française aligne 173 régiments d'infanterie d'active*, formés essentiellement des jeunes appelés effectuant leur service militaire obligatoire. Commandé par un colonel, le régiment est composé de trois bataillons équipés chacun de quatre mitrailleuses. Ses effectifs représentent environ 3 000 soldats et 70 officiers.

Le fantassin russe

L'armée russe, battue par les Japonais en 1905, a accepté depuis de profondes réformes. Une nouvelle tenue de campagne discrète, en drap gris verdâtre, a été adoptée. Le fantassin est coiffé d'une casquette souple, il porte une simple chemise, appelée *gymnastiorka*, un pantalon et des bottes. En hiver, une capote et un bonnet en fourrure le protègent contre le froid. Il utilise aussi une sorte de capuchon amovible qui recouvre la casquette et protège ses oreilles et ses joues par temps frais ou humide. Le fantassin dispose également d'une musette en toile, d'une gamelle en cuivre, d'une gourde, d'un outil individuel, d'un ceinturon et de deux cartouchières. Son fusil Mossine est de qualité.

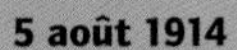

5 août 1914
W. Wilson rappelle que les États-Unis sont un pays neutre. Le 19 août, dans un discours prononcé devant le Sénat, le président américain appelle son peuple à garder une attitude de neutralité en paroles, en actes et même en pensées.

15 août 1914
Inauguration officielle du canal de Panama qui permet à des navires de passer de l'océan Atlantique à l'océan Pacifique sans contourner l'Amérique du Sud. Les travaux de construction auront duré plus de 30 ans.

Le fantassin allemand

L'armée dispose depuis 1910 d'une nouvelle tenue de campagne, confortable et discrète. De teinte *feldgrau* (sorte de gris-vert), elle comprend une tunique à col rabattu et un pantalon rentré dans les bottes. Les fantassins sont coiffés d'un casque à pointe en cuir noirci, recouvert en temps de guerre d'une housse en toile. Les bretelles de leur sac, qui s'accrochent sur les deux lourdes cartouchières, permettent aux soldats de les soulager en partie du poids et de l'inconfort de celles-ci. Une musette, une gourde, une gamelle, une baïonnette et un outil individuel complètent l'équipement. Le fusil adopté en 1898 est un Mauser.

Le fantassin anglais

À l'inverse des autres nations européennes, la Grande-Bretagne dispose d'une armée de métier. Elle est la première à avoir su s'adapter aux exigences des conflits récents. Depuis 1902, l'ensemble des troupes possède un uniforme élégant et surtout discret. Casquette, vareuse et pantalon sont taillés dans un drap kaki de qualité. L'ensemble est complété par une paire de brodequins surmontés de bandes molletières qui serrent le bas du pantalon. En 1908, les équipements en cuir disparaissent et sont remplacés par un système révolutionnaire en toile. Réglable, solide, pratique, facile à confectionner et bon marché, il répartit mieux les charges et gêne moins le combattant dans ses mouvements. Le fusil Lee Enfield est également novateur : il est court, maniable et équipé d'un magasin de dix cartouches.

Le fantassin autrichien

Depuis 1909, une nouvelle tenue en drap bleu clair est adoptée. Elle représente un réel progrès sur l'ancien uniforme datant de 1867. L'armée reflète la diversité des peuples de l'empire : sur 100 hommes, on trouve en moyenne 46 Slaves, 30 Autrichiens (de langue allemande), 18 Hongrois, 5 Roumains et 1 Italien.

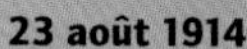

23 août 1914
En tant qu'allié de la Grande-Bretagne, le Japon déclare la guerre à l'Allemagne, puis à l'Autriche-Hongrie le 25 août. Sa participation à la guerre restera cependant limitée à l'occupation des territoires allemands de l'océan Pacifique et de la Chine.

26 août 1914
La colonie allemande du Togo est sous le contrôle de troupes franco-britanniques qui se partagent le pays.

Les Parisiens acclament les troupes qui rejoignent les gares.

Partis pour un été

Même si le président français Poincaré fait savoir que la mobilisation n'est pas la guerre, les populations ne sont pas dupes. Mais en Allemagne comme en France, la guerre est acceptée. Enthousiastes ou résignés, convaincus ou opposés, les hommes dans leur immense majorité rejoignent les casernes. Ils pensent que la guerre sera terminée dans quelques semaines.

L'Union sacrée en France

Trois millions et demi de Français de 22 à 48 ans sont concernés par la mobilisation. Celle-ci provoque la fermeture de nombreux commerces, ateliers et entreprises. Dans les campagnes, toutes occupées aux moissons, aux récoltes ou à la préparation des prochaines vendanges, les mobilisés laissent la responsabilité des travaux aux anciens, aux femmes et aux enfants. Brutalement, la société est comme paralysée, mais le pays reste digne. La population a conscience de la gravité des événements. Au-delà du tragique des séparations et de l'inquiétude des jours futurs, un élan d'"Union sacrée" réunit le pays face à l'agression allemande.

LES SOCIALISTES FACE À LA GUERRE

Dès 1907, la IIe Internationale (regroupant les partis socialistes de tous les pays) proclame le devoir de la classe ouvrière de s'opposer à un conflit par la grève générale. En 1914, les socialistes européens sont donc hostiles à la guerre. D'importantes manifestations pacifistes ont lieu dans plusieurs pays jusqu'à la fin du mois de juillet. Mais début août, devant la gravité des événements, la solidarité ouvrière s'efface devant les intérêts nationaux. Le 2 août, les socialistes français se réfugient derrière l'"Union sacrée". Le retournement est identique en Allemagne.

Jean Jaurès, député socialiste favorable à la réconciliation franco-allemande, lors d'un meeting en 1913. Le 31 juillet 1914, il est assassiné à Paris par un nationaliste*.

2 septembre 1914
Le gouvernement français, ainsi que les députés et les sénateurs, quitte Paris pour rejoindre Bordeaux. Il y restera jusqu'au 20 décembre 1914.

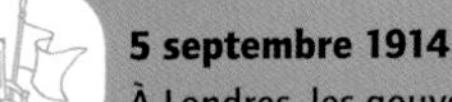

5 septembre 1914
À Londres, les gouvernements de l'Entente* (France, Grande-Bretagne, Russie) signent une convention par laquelle ils s'engagent à ne pas conclure de paix séparée.

En Allemagne aussi

À cette époque, l'Allemagne, qui est devenue un grand pays industriel, s'imagine menacée par les alliances françaises, russes et maintenant anglaises. Elle pense aussi être injustement contrariée dans son épanouissement de grande puissance. De ce fait, et pas seulement chez les militaires, il est admis que la guerre est inévitable. Pour certains, même, elle est le mal nécessaire qui permettra à l'individu de s'élever et à l'État allemand de confirmer sa puissance. C'est donc une population motivée qui se rassemble largement derrière la décision du Kaiser* de déclarer la guerre. Et c'est une jeunesse particulièrement enthousiaste qui rejoint les casernes : elle est convaincue de partir pour une guerre juste et de légitime défense.

À Berlin, les mobilisés rejoignent leurs casernes.

Les armées sur le départ

Suivant les plans méticuleusement préparés depuis des années, et qui reflètent les intentions des commandants en chef, les deux blocs rivaux dirigent et concentrent leurs armées sur les frontières *(voir p. 12-13)*. Pour les Allemands, l'adversaire à abattre en premier est la France, avant de se retourner contre les Russes. Pour la Russie, l'objectif est Berlin. Pour Vienne, il faut terrasser définitivement la Serbie. Pour la France, la priorité est de retrouver l'Alsace, puis d'attaquer en Lorraine le centre du dispositif allemand, avant de s'élancer vers l'intérieur de l'Allemagne.

Les premiers morts

Avant même la déclaration de guerre entre l'Allemagne et la France – et malgré l'ordre du gouvernement français de retenir les troupes à 10 km en arrière de la frontière –, des patrouilles ennemies provoquent des incidents. Le 2 août vers 10 h, quelques cavaliers allemands, commandés par le lieutenant Mayer, pénètrent profondément au nord du territoire de Belfort et se heurtent à un petit détachement français. Le lieutenant allemand est tué ainsi qu'un soldat du 44e régiment d'infanterie* français, le caporal Peugeot. Ce sont les deux premiers morts de la guerre.

Les soldats allemands ne cachent pas leurs intentions : *Nach Paris* (À Paris) peut-on lire sur leurs trains.

22 septembre 1914
L'écrivain Alain-Fournier, auteur du *Grand Meaulnes*, disparaît au combat près de Verdun. Ses restes, retrouvés et identifiés en novembre 1991, seront inhumés dans la nécropole nationale de Saint-Rémy-la-Calonne, dans la Meuse, en 1992.

27 septembre 1914
La Turquie – encore neutre mais alliée à l'Allemagne depuis la signature d'une alliance secrète, le 2 août 1914 – ferme le détroit des Dardanelles en plaçant mines et filets. Cet acte isole la Russie de ses alliés.

Sur la Grand Place de Bruxelles, rassemblement des troupes allemandes.

L'attaque allemande

Très rapidement, une puissante armée d'invasion allemande s'engouffre en Belgique et se dirige vers le nord de la France. Mais le commandant en chef français, le général Joffre, sous-estime cette manœuvre. Et au lieu d'aller à la rencontre de ces forces ennemies, il s'applique à concentrer ses troupes vers l'est, le long de la frontière allemande.

La Belgique envahie

Les troupes allemandes envahissent le Luxembourg le 2 août, et Berlin exige de Bruxelles le libre passage pour ses armées. Le gouvernement belge refuse et, sous l'autorité du roi Albert, prend des mesures de défense. Le 3 août, l'Angleterre annonce qu'elle s'engage à garantir la neutralité du royaume de Belgique. Malgré cela, les soldats allemands franchissent la frontière le 4 août et se ruent vers Liège. À minuit, devant le refus de Berlin d'arrêter l'invasion, l'Angleterre déclare la guerre à l'Allemagne.

Malgré le concours d'une garde civique formée de volontaires vaillants mais peu entraînés, l'armée belge ne parvient pas à résister. Même l'arrivée des troupes françaises et britanniques ne peut enrayer la poussée allemande. Une partie de l'armée belge se replie sur Anvers, avant d'être contrainte de reculer vers la frontière française. En octobre, le pays est presque totalement occupé. Seul un petit lambeau de terre inondée reste sous contrôle allié dans la région de l'Yser.

Les forts belges pulvérisés

Au début du conflit, à l'inverse de la France, l'Allemagne dispose d'une imposante artillerie* mobile de siège. Constituée de très lourds mortiers* de 420 et 305 mm, elle est employée en Belgique pour réduire les forts de Liège. Il apparaît immédiatement qu'aucune fortification maçonnée ni même bétonnée ne résiste à la puissance dévastatrice de ses projectiles. Les chefs militaires français admettent rapidement ce fait. Cette artillerie de siège influera également sur la conduite des opérations à venir : en 1915, n'ayant plus confiance dans la fortification, l'état-major français désarmera ses forts.

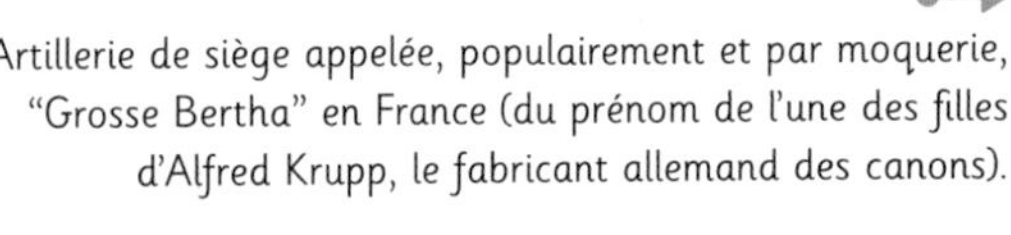

Artillerie de siège appelée, populairement et par moquerie, "Grosse Bertha" en France (du prénom de l'une des filles d'Alfred Krupp, le fabricant allemand des canons).

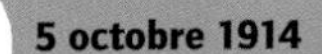

5 octobre 1914
À bord d'un biplan Voisin, les Français Joseph Frantz et Louis Quenault – respectivement pilote et mécanicien-mitrailleur – remportent la première victoire aérienne de l'histoire en abattant un aéroplane allemand.

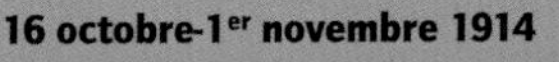

16 octobre-1er novembre 1914
Après les batailles de la Marne et de la Somme en septembre, celle de l'Yser continue d'enflammer le front franco-allemand. Très meurtriers, ces combats ne permettent cependant à aucun des deux camps de remporter de victoire décisive.

80000 Britanniques

Dès la déclaration de guerre, le gouvernement anglais décide d'envoyer en France une partie de sa petite armée professionnelle, soit 80000 hommes. Commandées par le maréchal French, une division de cavalerie et quatre divisions d'infanterie* sont dirigées vers Le Havre, Rouen et Boulogne. Le 14 août, les soldats anglais traversent Amiens sous les acclamations des habitants. Ils ont pour consigne de remonter vers le nord-est, puis de se positionner sur la gauche des troupes françaises qui se préparent à pénétrer en Belgique. Les ordres de French sont précis : en aucun cas il ne peut mettre son corps expéditionnaire en péril. Il doit s'assurer de pouvoir rejoindre, en cas d'urgence, les ports de la Manche.

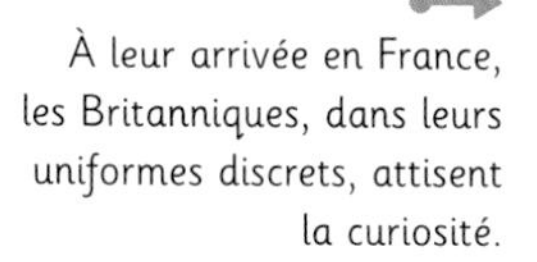

À leur arrivée en France, les Britanniques, dans leurs uniformes discrets, attisent la curiosité.

Bataille pour l'Alsace

Pour des raisons avant tout sentimentales, la première opération offensive française a lieu en Alsace. Le 7 août, les soldats français atteignent la ville de Mulhouse mais ils sont rapidement contraints de refluer. Une nouvelle attaque est donc ordonnée et la ville est réoccupée le 19. Pourtant, l'arrivée de renforts allemands oblige Joffre à ordonner le repli sur les contreforts des Vosges. Cette offensive qui se voulait une démonstration militaire et politique, et qui devait également entretenir le moral des Français, se termine donc par un échec.

En Alsace retrouvée, une revue de troupes françaises dans un des villages reconquis.

26 octobre 1914

Afin d'améliorer le logement et de fournir du travail aux réfugiés, l'État français crée l'Office central de placement des chômeurs et des réfugiés, surtout destiné à secourir les Français des régions envahies.

28 octobre 1914

Le tribunal autrichien de Sarajevo condamne à de lourdes peines les 16 auteurs et complices de l'attentat contre l'archiduc François-Ferdinand et sa femme. N'étant pas majeur, G. Princip, le meurtrier, échappe à la mort mais est condamné à la perpétuité.

La bataille des frontières

Les délicates opérations de mobilisation, puis la concentration des troupes françaises sur les frontières s'effectuent dans l'ordre. Les qualités d'organisateur de Joffre semblent ainsi prouvées. Mais les surprises et les revers apparaissent vite : l'excessif esprit offensif de l'armée française se révèle meurtrier face au feu des mitrailleuses et de l'artillerie* lourde allemandes.

Les artilleurs français devant un des poteaux frontière du Reich qu'ils ont abattu.

Échecs sur échecs pour les Français

Entre le 15 et le 24 août, les communiqués officiels français, destinés à la population, restent rassurants. Ils annoncent de nombreux combats aux différentes frontières, mais insistent surtout sur l'héroïque résistance belge. Les poussées allemandes sont qualifiées de molles, les avancées françaises d'énergiques. Et si les pertes sont jugées sérieuses, les bulletins insistent surtout sur celles, importantes, de l'adversaire. En réalité, l'avance allemande est extrêmement rapide et déconcertante. Le 25 août, les journaux révèlent à une population incrédule que les troupes allemandes ont pénétré profondément dans le pays, et que les combats se déroulent de la Somme aux Vosges.

En Lorraine allemande

Le 14 août 1914, le positionnement des cinq principales armées françaises est terminé à l'est, le long de la frontière allemande. Cette première manœuvre s'étant déroulée conformément aux prévisions, Joffre entame la suite de son plan. Sa volonté offensive se traduit par l'entrée de ses 1re et 2e armées en Lorraine allemande. Les chefs sont confiants et les hommes ont un moral élevé, mais dès le 20 août, les troupes sont décimées par le feu ennemi. Devant Morhange, Sarrebourg puis Charmes, elles subissent de très lourdes pertes. Surprises, elles sont obligées de se replier rapidement en direction de Vesoul et Nancy. Dans le même temps, Joffre doit aussi réagir à l'avancée rapide des armées allemandes en Belgique. Il envoie donc sa 5e armée, épaulée par le corps expéditionnaire britannique, sur le territoire belge.

Des soldats belges tentent d'enrayer la progression des troupes allemandes.

1er novembre 1914
Après avoir bombardé les ports russes de la mer Noire le 29 octobre, les Turcs entrent en guerre aux côtés de l'Allemagne et de l'Autriche-Hongrie.

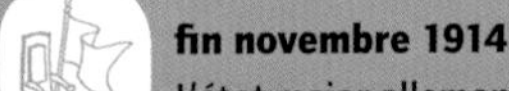

fin novembre 1914
L'état-major allemand demande au ministre des Affaires étrangères de négocier la fin des hostilités avec la Russie. Le tsar Nicolas II refuse.

Carte postale illustrant des chasseurs à pied français dans le massif des Vosges.

Une retraite difficile et démoralisante

Pressée par l'ennemi, la retraite française s'organise sans pour autant se transformer en déroute, même si les souvenirs de la terrible défaite de 1870 hantent beaucoup de pensées. Bien que bousculées, les troupes qui refluent continuent d'être commandées. Elles restent obéissantes et poursuivent les combats. Souvent confrontés à des situations périlleuses, la majorité des officiers savent prendre les décisions appropriées au bon moment, et éviter que les revers ne se changent en désastres. Les hommes sont épuisés, leur ravitaillement est irrégulier et ils ne peuvent guère s'arrêter pour prendre le temps de cuisiner. Ils vivent de rapines*, de cueillettes de fruits plus ou moins mûrs, et quelquefois de ce que les populations veulent bien leur offrir ou leur vendre.

L'invasion russe

Le 20 août, à la grande surprise du quartier général allemand, deux armées du tsar Nicolas II franchissent la frontière orientale. Alors que l'Allemagne prévoyait qu'il faudrait au moins 50 jours aux troupes russes pour devenir opérationnelles, celles-ci pénètrent dangereusement et rapidement en Prusse, le "berceau" du Reich*. Très inquiet de voir les cosaques* à moins de 5 étapes de Berlin, le généralissime* allemand Moltke prélève précipitamment 40 000 hommes sur ses armées qui approchent de la frontière franco-belge. Il les dirige en renfort vers son front oriental menacé, dont il confie la défense à un vieux général, Hindenburg. À la fin du mois d'août, ce dernier inflige aux Russes deux défaites humiliantes. D'abord à Tannenberg, puis aux abords des lacs Mazuriques (dans le nord de l'actuelle Pologne), les armées du tsar laissent des milliers de morts et plus de 200 000 prisonniers.

L'invasion allemande

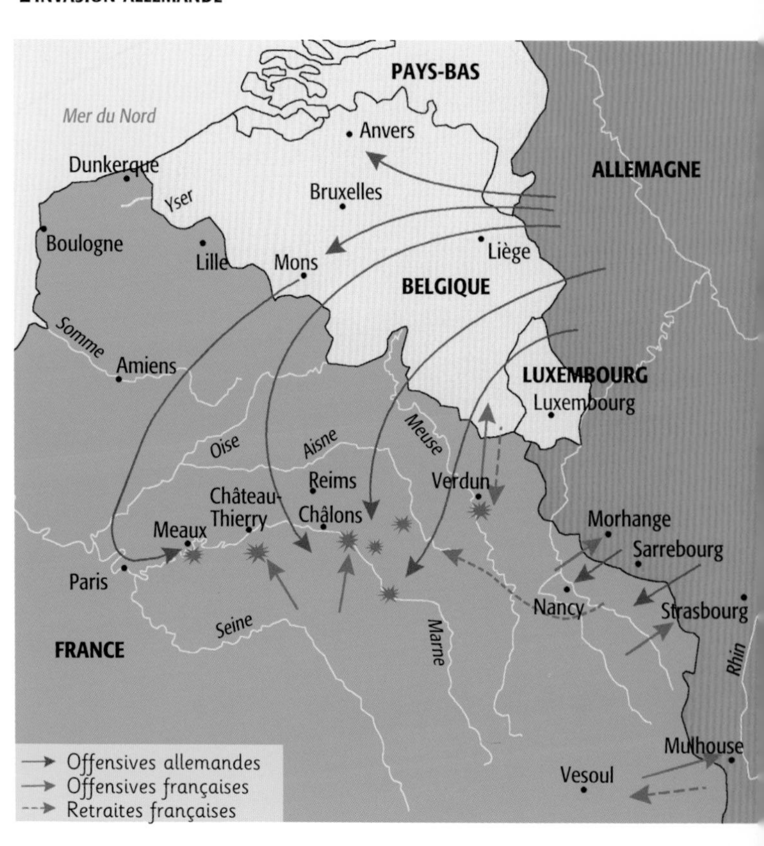

Après l'invasion spectaculaire de la Prusse, les troupes russes – ici des cosaques – vont connaître de lourdes défaites.

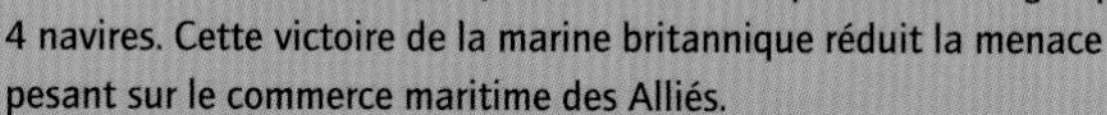

8 décembre 1914
Défaite navale allemande au large des îles Falkland, au sud de l'océan Atlantique, au cours de laquelle l'Allemagne perd 4 navires. Cette victoire de la marine britannique réduit la menace pesant sur le commerce maritime des Alliés.

début décembre 1914
Le pape Benoît XV propose à tous les belligérants de respecter une suspension d'armes pour le jour de Noël. Il leur demande également d'autoriser l'échange de prisonniers blessés.

Le 4 septembre 1914, des patrouilles allemandes aperçoivent Paris.

Paris menacé

Enivrés par les succès et la rapidité de leur progression, les Allemands s'approchent de Paris. Leurs généraux sont persuadés que l'armée anglaise est disloquée et que les troupes françaises sont incapables de se ressaisir. Aussi, pour précipiter l'écrasement des armées françaises, l'aile droite allemande change la direction de son avancée.

La retraite anglaise

Débarqué progressivement à partir du 8 août 1914, le petit corps expéditionnaire britannique a pénétré en Belgique et s'est placé à la gauche de la 5e armée française. Le 23 août, près de la ville de Mons, les troupes anglaises rencontrent les forces allemandes. Les pertes ennemies sont immédiatement considérables. Mais dans la soirée, la supériorité écrasante de l'artillerie* lourde allemande force les régiments britanniques à décrocher. Le lendemain, la retraite de la 5e armée française oblige le maréchal French à suivre le mouvement. Un repli éprouvant commence, entrecoupé de violents combats. Chaque jour, les pertes deviennent de plus en plus inquiétantes; et surtout, French ne fait plus confiance à l'armée française ni à ses chefs.

Après être montées jusqu'en Belgique, les troupes anglaises doivent refluer en direction de la région parisienne.

25 décembre 1914
Dans de nombreux secteurs, surtout côté anglais, les soldats fraternisent avec les Allemands (échanges de nourriture, parties de ballon, enfouissement des morts restés dans le no man's land*...). Les hauts commandements font vite cesser ces trêves.

13 janvier 1915
Un violent tremblement de terre ébranle les Abruzzes, dans le centre de l'Italie, et fait 30 000 morts. À Rome, de nombreux bâtiments sont abîmés.

Des Allemands sûrs de la victoire

Le 2 septembre, les armées allemandes enveloppent Verdun et surplombent Reims. Elles ont traversé la Marne et dépassé Château-Thierry. Paris est à moins de 40 km. Pour accélérer la destruction des armées françaises, les deux généraux allemands qui dirigent l'aile droite -celle qui s'approche de Paris- demandent à s'écarter du plan Schlieffen *(voir p. 12)*. Pour gagner du temps, ils souhaitent passer au nord de la capitale plutôt que de la contourner. Cette forme d'indiscipline au plan Schlieffen est validée le lendemain par le chef d'état-major Moltke. Paris n'est plus l'objectif prioritaire.

Ce même 3 septembre, Joffre donne ses nouvelles instructions : l'armée française doit continuer de se replier au sud de la Seine et de l'Aube. Paris isolé et Verdun devront se défendre seuls. Déjà les premières patrouilles allemandes de cavalerie aperçoivent, dans le lointain, la fascinante silhouette de la tour Eiffel.

Sous l'impulsion du général Gallieni, Paris se prépare à un siège.

Gallieni reprend du service

À la retraite depuis mai 1914, le général Gallieni a été rappelé le 31 juillet par le ministre de la Guerre. Il est alors désigné comme adjoint, et successeur éventuel, du général Joffre. Le 26 août, il est nommé gouverneur militaire de Paris. Le 2 septembre, le gouvernement décide de se replier à Bordeaux, mais Gallieni affiche sa volonté de défendre la capitale «jusqu'au bout». Le 3 septembre, grâce à une observation aérienne, il découvre que les troupes allemandes changent de direction. Toute à la poursuite des unités françaises, une partie de l'armée allemande prend le risque de manœuvrer au nord de Paris et présente dangereusement son flanc droit. Pour Gallieni, la chance est unique, il faut en profiter : l'attaque s'impose.

Le général Gallieni (1849-1916), à qui le gouvernement français confie la défense de la capitale.

L'EXODE DES POPULATIONS CIVILES

L'avancée des Allemands provoque la fuite de nombreux habitants. Le plus souvent à pied, transportant de maigres biens, les longues colonnes de réfugiés se traînent vers le sud. Elles encombrent les routes, gênent le déplacement des troupes, se retrouvent même parfois au milieu des combats. Tous les esprits ont en mémoire les récits de l'invasion de 1870. De fait, les troupes allemandes commettent à nouveau de nombreux pillages, rançonnages et incendies, qui ne peuvent qu'inciter les populations à fuir.

9 février 1915
En Égypte, le canal de Suez, contrôlé par les Anglais, est interdit aux bateaux des États neutres.

15 février 1915
En France, par une circulaire du ministre de la Guerre, il est décidé que les pères de 6 enfants et plus seront renvoyés dans leurs foyers.

La bataille de la Marne

Le 4 septembre 1914, le changement de direction des troupes allemandes se confirme et Gallieni s'organise pour attaquer le lendemain. Reste à convaincre Joffre. L'enjeu est décisif et la réponse n'est pas immédiate. Une décision trop rapide, un mauvais choix et le résultat serait funeste. Mais Joffre se décide : la bataille ne se fera pas derrière la Seine, mais bien devant Paris.

Le général Joffre, commandant les armées françaises du Nord et de l'Est, après avoir écrit son ordre du jour du 5 septembre 1914.

Peu de temps pour se préparer

Informé par Gallieni de ses intentions offensives, le général Joffre doit s'adapter et organiser la manœuvre qui peut sauver ses armées. Les soldats épuisés par les combats et découragés par l'inexorable retraite seront-ils capables de fournir l'effort demandé ? Où faut-il attaquer et à quel moment ? Surtout, le chef des armées doit s'assurer de la coopération des troupes anglaises qui continuent de reculer, et se trouvent déjà aux environs de Melun. Joffre se déplace personnellement au quartier général de French et arrache l'accord britannique. Ensuite, s'étant assuré que ses commandants d'armée seront prêts à intervenir le 6 septembre au matin, il ordonne la grande contre-attaque pour cette date.

La bataille commence prématurément

Mais le 5 septembre à midi, près de Meaux, des éléments français qui rejoignent leur position d'attaque se trouvent brutalement au contact d'une division allemande. En avance de 18 heures sur les prévisions de Joffre, les premiers coups de canon de cette bataille, dite de l'Ourcq, éclatent prématurément au-dessus du village de Monthyon. Charles Péguy, un homme de lettres français déjà célèbre, est l'un des premiers à être tué. Le lendemain, la bataille dite de la Marne commence : 750 000 Français renforcés par 70 000 Britanniques s'opposent à 700 000 Allemands.

Aux environs de Meaux, les fantassins allemands envahissent un village de la Brie.

21 février 1915
Malgré la guerre, San Francisco inaugure l'Exposition universelle ; 45 nations y participent dont tous les pays belligérants.

22 février 1915
L'Allemagne annonce la guerre sous-marine totale dans les zones déclarées espaces de guerre (dont toutes les eaux territoriales britanniques). Cela signifie la destruction sans avertissement de tout bateau, quel que soit son pays, dans ces zones.

Retournement surprenant de Senlis à Verdun

Sur un front continu, la bataille se déroule du nord-est de Paris à l'est de Nancy *(voir carte p. 21)*. Le camp retranché de Verdun, qui résiste, devient le pivot de la manœuvre française. Le 6 septembre au matin, les troupes alliées cessent leur retraite et se retournent face aux Allemands. Sur plus de 300 km, les combats sont furieux. Les Anglais profitent d'un espace laissé libre entre la 1re armée de A. von Kluck et la 2e de K. von Bülow pour commencer à remonter vers la Marne. Les 7 et 8 septembre, Gallieni résiste sur l'Ourcq, où ses taxis amènent quelques renforts *(voir p. 26)*. Tout en étant incertains et souvent désespérés, les affrontements se poursuivent de Meaux à Verdun, et finissent par imposer le recul à la 1re armée allemande. C'est le début d'une victoire qui sera retentissante.

Après une retraite épuisante, les Anglais se ressaisissent et participent aux côtés des Français à la bataille de la Marne (ici, à La Ferté-sous-Jouarre).

UNE CAVALERIE ÉPUISÉE

Dès le début du recul allemand, la cavalerie alliée est sollicitée pour talonner les armées du Kaiser*. Il faut transformer la victoire alliée en une déroute allemande. Mais épuisés par les terribles journées du mois d'août, les chevaux ne peuvent même plus porter leur cavalier. La cavalerie est donc incapable de répondre aux attentes des chefs : foncer sur l'ennemi et le sabrer. Elle ne peut pas s'associer aux efforts des fantassins* et, à aucun endroit, elle n'inquiète réellement les troupes allemandes qui battent en retraite.

Le 13 septembre 1914, Reims est libéré. Mais la cathédrale, observatoire qui surplombe les lignes, est bombardée et incendiée par les Allemands. Ce "crime", perçu dans le monde comme une atteinte à la civilisation, renforce le sentiment déjà violent que l'envahisseur est un barbare.

La retraite allemande s'impose

Le 9 septembre, alors que Kluck vient de retraverser la Marne, son repli découvre dangereusement l'armée de Bülow qui doit rompre à son tour. Le soir, la 3e armée allemande est contrainte de suivre le mouvement. Le 10, les Français et les Anglais commencent la poursuite des troupes allemandes. Du 11 au 14 septembre, l'avance alliée continue, ce qui impose le reflux des 4e et 5e armées allemandes. Le 15, les lignes de combat se stabilisent de Nancy à Soissons : les Allemands se retranchent derrière des positions organisées. Les hommes sont harassés, mais la bataille de la Marne est gagnée.

2 avril 1915
En France, la classe 1916 part pour le front. La classe 1917 est appelée sous les drapeaux avec 2 années d'avance par « mesure de simple prévoyance ».

25 avril 1915
Les Alliés débarquent sur la côte des Dardanelles (en Turquie). L'opération, voulue par Winston Churchill, alors ministre de la Marine britannique, vise à conquérir Constantinople et à prendre à revers l'Allemagne et l'Autriche-Hongrie. Mais ce sera un échec.

L'épopée des taxis de la Marne

Le 7 septembre 1914, un léger recul de l'armée allemande est confirmé. Afin d'accélérer le mouvement, Gallieni ordonne à la 6e armée du général Maunoury, engagée à 30 km au nord de Paris, d'attaquer immédiatement « sans arrière-pensée, avec toutes les forces… jusqu'à la rupture de la résistance ennemie ».

Une idée surprenante

Certains des régiments concernés par cette attaque sont encore stationnés en proche banlieue parisienne. Il existe bien une ligne de chemin de fer qui se dirige vers le nord-est, mais personne ne sait si elle est toujours utilisable. Gallieni décide donc de réquisitionner les taxis parisiens (des Renault pour la plupart) ainsi que leurs chauffeurs, afin de transporter un maximum de fantassins*. Aussitôt, la police fait la chasse aux taxis et les rassemble sur l'esplanade des Invalides, à Paris.

Document rare extrait d'un film d'époque : cette colonne de taxis part en direction du champ de bataille.

Les régiments transportés

Les 103e et 104e régiments d'infanterie*, qui profitent de l'aubaine, ont déjà participé du 22 au 24 août à la bataille dans les Ardennes. Ensuite, ils se sont repliés jusqu'à Sainte-Menehould, une petite ville à la limite de la Champagne, avant de prendre le train le 3 septembre en direction de Paris. Arrivés dans la nuit du 6 au 7, ils bivouaquent à l'est de la capitale. Par un pur hasard, les hommes qui composent ces régiments viennent pour la plupart de la région parisienne. La nouvelle de leur arrivée se propage rapidement. Des familles, des amis, des proches se mettent en route pour retrouver ceux qui sont partis un mois auparavant. Beaucoup d'émotion mais aussi de larmes, car la guerre a déjà causé de nombreux morts.

Embarquement et débarquement

Le 7 septembre, vers 14 h, le 104e régiment d'infanterie reçoit l'ordre de se tenir prêt. À la nuit tombante, une colonne de taxis arrive. Médusés et souvent en plaisantant, les hommes montent dans les véhicules, quatre à l'intérieur et un sur le siège à côté du chauffeur. Il en est de même pour une partie du 103e. Les convois se retrouvent dans la nuit, et le 8 septembre à partir de 2 h du matin, les soldats sont progressivement débarqués aux abords du village de Nanteuil-le-Haudouin, directement sur la ligne de combat.

DE L'HISTOIRE À LA LÉGENDE

4 000 soldats sont ainsi acheminés en taxi sur les lieux de la bataille. Ce transport coûte très cher à l'État, car les taxis sont payés à leur tarif habituel, et ce ne sont pas ces deux régiments supplémentaires qui permettent à eux seuls la victoire de la Marne *(voir p. 25)*. Cependant, à peine ces combats sont-ils terminés que l'épopée des taxis se propage, tel un glorieux apport à une victoire presque miraculeuse…

9 mai 1915
La Chine se voit imposer par le Japon des droits politiques et économiques, ainsi que des concessions portuaires pour 99 ans. Son industrie lourde passe également sous contrôle japonais.

10 mai 1915
Des zeppelins survolent Londres pour la première fois, et bombardent la ville.

17 juin 1915
Devant la gravité et la multiplication des blessures à la tête, le ministère français de la Guerre décide de fournir des casques aux soldats.

18 juillet 1915
Entrée en vigueur des permissions* en France : les soldats qui sont au front depuis au moins 6 mois peuvent bénéficier d'une permission d'une semaine.

La course vers la mer

La victoire de la Marne a brisé le plan de guerre allemand et mis à mal la réputation d'invincibilité de l'armée impériale. Pourtant, bien qu'éclatant et retentissant, le redressement français est loin d'être décisif. La bataille reprend donc avec rage, sur un terrain encore libre : les grandes plaines en direction de la mer du Nord.

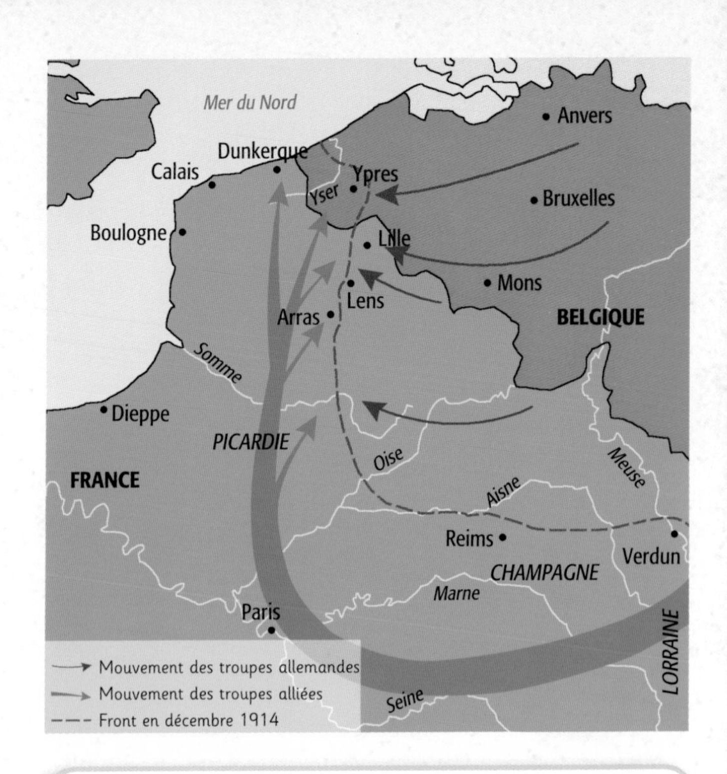

Changement à la tête de l'armée allemande

Le Kaiser* est profondément irrité par la tournure des événements. Alors que les fracas de la bataille de la Marne ne se sont pas encore tus, il se sépare de Moltke, le commandant en chef des armées. Il le remplace le 14 septembre 1914 par le ministre de la Guerre, le général Falkenhayn. Cette mesure sanctionne un homme rendu responsable de l'abandon et de l'échec du plan Schlieffen. Mais pour beaucoup, c'est aussi un chef débordé par l'ampleur de ses responsabilités qui est écarté.

LE MASSACRE DES INNOCENTS

Au cours de la bataille des Flandres, les Allemands perdent 130 000 hommes, dont une majorité d'étudiants. Jeunes et enthousiastes, ils se sont engagés volontairement en août et sont arrivés au front après quelques semaines d'instruction. Ils sont décimés au cours de ces vaines et très sanglantes tentatives pour prendre les ports de la Manche. Cette lutte soutenue de jour comme de nuit, sous la pluie, le vent et un froid mortel, est encore aujourd'hui connue en Allemagne comme "le massacre des innocents".

Objectif : déborder l'adversaire

Impuissants à franchir les tranchées qui se creusent, les adversaires ne peuvent qu'essayer de se déborder en direction de la mer du Nord. Pour cela, Joffre comme Falkenhayn transfèrent des troupes de Lorraine vers la région picarde. À partir du 20 septembre commence une longue série d'actions et de batailles, dont certaines très violentes. Mais là encore, aucune des armées ne prend le dessus, et de la Picardie aux Flandres, cette lutte se poursuit pendant 3 mois.

« Le barbare contemple son œuvre » titre cette couverture illustrée du *Petit Journal* montrant Guillaume II devant Arras.

5-8 septembre 1915
Le Congrès socialiste international réuni en Suisse rassemble les socialistes qui refusent la guerre. Au total, 38 délégués (dont Lénine) venus de 10 pays européens discutent de la suite des événements et réaffirment leur opposition au conflit.

10 septembre 1915
À Paris, le journal *Le Canard enchaîné* sort son premier numéro. Cet hebdomadaire se veut être une riposte à la censure de la presse, à la propagande officielle et au "bourrage de crâne" imposés par la guerre et ses difficultés.

Le Nord sous domination allemande

En octobre, des combats farouches se déroulent vers Arras et Lens. Afin de coordonner l'action des forces françaises, anglaises et belges, qui se battent entre l'Oise et la mer, Joffre nomme le général Foch comme adjoint au commandant en chef. Lille, peu défendue, tombe le 13 octobre. Les troupes alliées se replient alors vers Ypres, mais les Allemands semblent ignorer le secteur. En effet, Falkenhayn a décidé de porter son effort principal sur Boulogne, Calais et Dunkerque, car ce sont les ports qui reçoivent le ravitaillement britannique.

Une tranchée allemande au début de l'hiver 1914-1915.

Carte postale patriotique sur les combats de l'Yser et la vaillance des fusiliers* marins français.

Ni vainqueurs ni vaincus

Commence une nouvelle série d'actions et de combats, dont certains très violents, appelée bataille des Flandres. Elle est marquée par deux grands affrontements : celui de l'Yser, où les troupes franco-belges résistent courageusement ; et celui d'Ypres, un secteur anglo-français où les attaques se succèdent avec une violence inouïe. Là encore, aucune des armées ne prend le dessus. Les combats cessent en décembre ; les tranchées touchent alors les plages de la mer du Nord. L'hiver s'abat sur des combattants épuisés qui manquent de munitions. Ils réclament cependant surtout des protections contre la pluie et le froid. Mais rien n'a été prévu ni préparé pour aider les hommes à subir la mauvaise saison.

En décembre 1914, le front est entièrement stabilisé de la mer du Nord à la Suisse.

14 novembre 1915
À Paris, un député tchèque réclame la fondation après la guerre d'un État tchèque indépendant. Soutenu par la France et la Grande-Bretagne, il crée un Conseil national tchèque qui se considère très vite comme un gouvernement en exil.

25 novembre-15 décembre 1915
Pour compenser un déficit budgétaire de 18 milliards de francs, le ministre français des Finances fait appel au civisme de la population. Il lance un premier emprunt populaire, appelé emprunt de la Victoire, qui rapporte 24 milliards de francs.

12 décembre 1915

En Allemagne a lieu le premier vol du Junker J1, le premier avion entièrement métallique à voler.

8 février 1916

À Zurich, des intellectuels et artistes marginaux, tous révoltés par l'absurdité du conflit, fondent le mouvement Dada qui rejette la culture bourgeoise. C'est une réponse par l'absurde et la provocation à la civilisation moderne.

Les tranchées

Les combattants se retrouvent enlisés dans une usante, longue et terrible guerre de tranchées. D'abord simples protections contre le feu ennemi, elles deviennent le lieu de vie de millions d'hommes. Côté français, les premières sont peu ou mal organisées : l'esprit restant offensif, elles sont censées n'être que provisoires. Côté allemand, c'est l'inverse : les troupes s'installent dans la défensive et pour longtemps.

Un système

Une tranchée de première ligne est avant tout une sorte de fossé souvent sommairement aménagé. Elle est plus ou moins profonde, et protégée en avant par un amoncellement de barbelés. On y trouve des emplacements pour tirer au fusil, et des galeries pour abriter les troupes. Des endroits généralement fortifiés dissimulent des mitrailleuses et parfois des petits mortiers*. Un poste de secours rudimentaire permet d'administrer les premiers soins. L'officier est relié à l'arrière par le téléphone, mais les fils sont souvent coupés par les bombardements.
La tranchée de première ligne est reliée à une tranchée de deuxième ligne, parallèle, par de petits boyaux perpendiculaires. Il existe quelquefois une troisième ligne. Derrière, à 3 ou 4 km, se trouvent l'artillerie*, les cuisines, les dépôts de matériel, les ambulances et de nombreux autres services.

Résister, s'adapter et survivre

Il faut du temps pour que les soldats s'habituent à la dure et meurtrière vie en première ligne. Peu à peu, les tranchées sont aménagées, mais elles restent un lieu éprouvant où la mort surgit sans prévenir. Tout y manque, excepté les multiples souffrances. L'hygiène la plus élémentaire est un tracas permanent ; la boue, un supplice tenace et visqueux ; les rats une horreur, et les poux d'irritants compagnons. Malgré cela, les hommes tiennent. Monter en ligne, attendre la soupe et le courrier, effectuer des corvées, tuer le temps, descendre au repos, manœuvrer, espérer la permission* : voilà le quotidien monotone, usant et cafardeux.

Les corvées : redoutées, éreintantes, détestées

La tranchée est fragile : sans cesse il faut la nettoyer, réparer les parois, boiser les abris, drainer la boue ou renforcer les réseaux de barbelés. Ces tâches exigent des matériaux : tôles, grillages, poutrelles, ciment, sable. Tout est porté de l'arrière vers l'avant sur le dos des hommes de corvée.

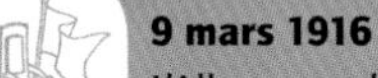

9 mars 1916
L'Allemagne déclare la guerre au Portugal, dont les sympathies vont à l'Angleterre depuis le début du conflit. Le même jour, Anglais et Français négocient secrètement le partage de l'empire turc en zones d'influence.

18 avril 1916
Les États-Unis menacent de rompre les relations diplomatiques avec l'Allemagne si la guerre sous-marine à outrance se poursuit. Le 4 mai, l'Allemagne déclare en réponse « qu'aucun navire belligérant ne sera coulé sans avertissement » par ses sous-marins.

L'artisanat des tranchées

C'est au cours de l'année 1915 qu'apparaît, puis se développe sur le front, une production dite artistique. Les objets sont fabriqués par les soldats avec des outils ramassés dans les ruines des villages et des matériaux présents en abondance sur le terrain.

Cette production manuelle, appelée "artisanat des tranchées", est une forme de réponse à l'ennui d'une vie brutale, grossière, où rôde la mort. Éloignés du cocon familial, quelquefois privés de nouvelles, surtout pour les soldats originaires des départements occupés, les hommes doivent lutter contre la mélancolie et résister au cafard et à la folie.

Comment atténuer la violence et l'inhumanité quotidiennement subies ? Comment résister aux conditions extrêmes et à l'environnement déprimant ? Le **bricolage** s'impose comme une sorte de dérivatif au vague à l'âme. Pour certains, il permet de renouer avec des pratiques du temps de paix ; pour d'autres, de révéler une disposition et parfois un talent.

Début 1915, avec son rythme de vie, ses longues heures d'attente et même d'oisiveté, la tranchée laisse du répit. Les munitions manquent, l'ennemi n'est pas tout le temps agressif, les permissions* n'existent pas encore. Et surtout, les hommes manquent de tout. Avant de devenir une activité artistique, les premiers travaux de soldats sont donc utilitaires, comme ces **matraques** sculptées dans le bois.

Les hommes doivent remédier par la débrouillardise aux innombrables manques qui compliquent leur quotidien. Cette guerre de taupes demande des projectiles et des armes qui ne sont pas encore fabriqués industriellement. Les soldats improvisent donc des **pétards** à partir d'un tuyau de chauffage *(ci-contre)* ou d'une simple boîte de conserve, et aussi des petits mortiers* rudimentaires.

24-29 avril 1916
"Pâques sanglantes" à Dublin : l'armée irlandaise clandestine se soulève contre les Anglais, investit Dublin et y proclame la république d'Irlande. La répression anglaise est rapide et sanglante.

24-30 avril 1916
Les parlementaires socialistes européens, dont trois députés français, se réunissent en Suisse. Ils exigent la fin immédiate de la collaboration socialiste dans les gouvernements des pays en guerre.

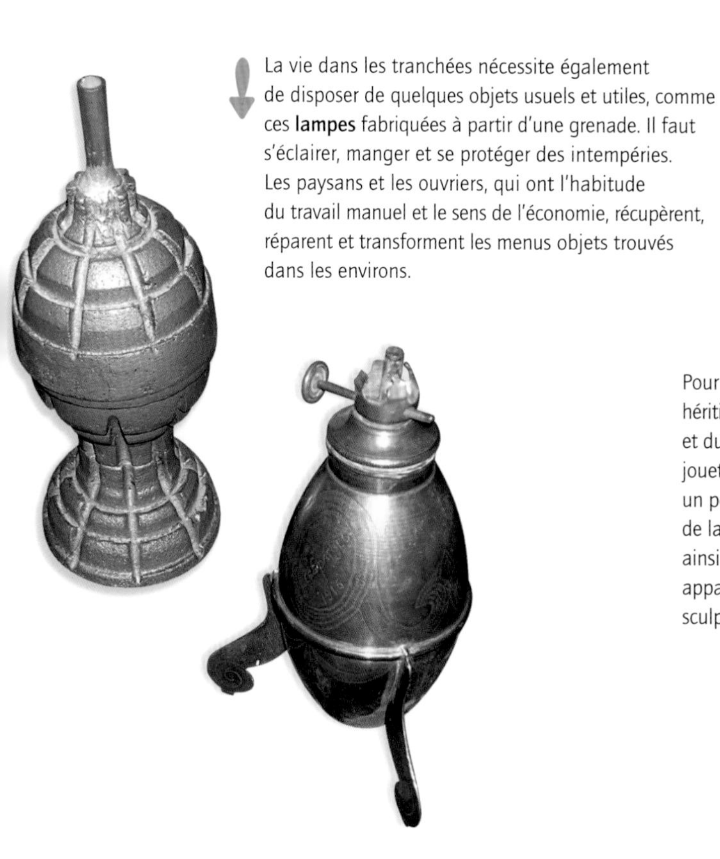

La vie dans les tranchées nécessite également de disposer de quelques objets usuels et utiles, comme ces **lampes** fabriquées à partir d'une grenade. Il faut s'éclairer, manger et se protéger des intempéries. Les paysans et les ouvriers, qui ont l'habitude du travail manuel et le sens de l'économie, récupèrent, réparent et transforment les menus objets trouvés dans les environs.

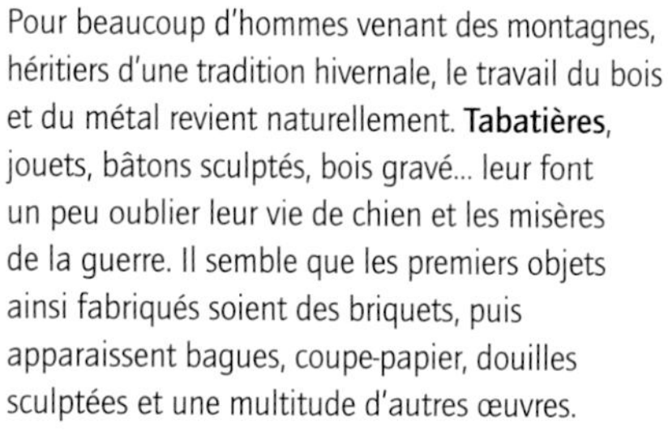

Pour beaucoup d'hommes venant des montagnes, héritiers d'une tradition hivernale, le travail du bois et du métal revient naturellement. **Tabatières**, jouets, bâtons sculptés, bois gravé... leur font un peu oublier leur vie de chien et les misères de la guerre. Il semble que les premiers objets ainsi fabriqués soient des briquets, puis apparaissent bagues, coupe-papier, douilles sculptées et une multitude d'autres œuvres.

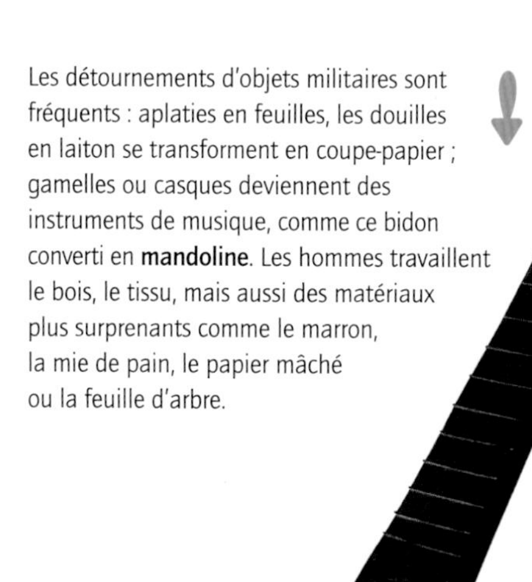

Les détournements d'objets militaires sont fréquents : aplaties en feuilles, les douilles en laiton se transforment en coupe-papier ; gamelles ou casques deviennent des instruments de musique, comme ce bidon converti en **mandoline**. Les hommes travaillent le bois, le tissu, mais aussi des matériaux plus surprenants comme le marron, la mie de pain, le papier mâché ou la feuille d'arbre.

Compagnon inséparable du soldat, le briquet est à l'époque un objet taxé : la loi réglemente sa fabrication, sa vente et sa détention. Cet impôt mal perçu incite à la fraude. Aussi, pour y échapper, les poilus* se mettent-ils à fabriquer des **briquets** qu'ils ne déclarent jamais, tel celui-ci fabriqué avec une cartouche de fusil.

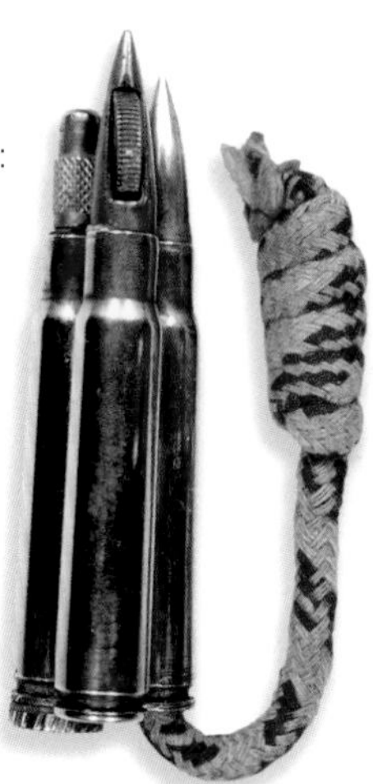

Cette occupation créatrice, qui apporte à l'homme petits bonheurs et satisfactions, est reconnue par le commandement. Elle donne lieu à des concours, et des expositions lui sont consacrées. Une grande chaîne de magasins d'orfèvrerie va même jusqu'à commercialiser des bijoux modelés par les poilus, telles ces **bagues** fabriquées à partir de rondelles provenant du mécanisme d'explosion des obus allemands *(à droite)*.

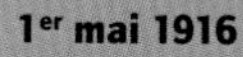

1er mai 1916
Violentes manifestations contre la guerre dans de nombreuses villes allemandes. Elles entraînent l'arrestation de Karl Liebknecht, dirigeant socialiste allemand et fondateur de la ligue Spartakus, qui sera condamné à 4 ans de prison.

22 juin 1916
Le *Deutschland*, un sous-marin commercial allemand, part pour les États-Unis. Il parvient à forcer le blocus maritime allié, et accoste à Baltimore où il échange une cargaison de produits chimiques contre des métaux. Il est de retour en Allemagne le 23 août.

1915, l'année des grandes illusions

Noël 1914 vient d'être célébré et la guerre n'est pas terminée. Pour Joffre, il faut en finir. Son but et son obsession : rompre le front allemand. Son souci : soutenir le fragile allié russe. Du côté allemand, au contraire, l'effort principal est porté à l'est – le front en France restant absolument défensif. C'est une année terrible où l'armée française subit ses plus grandes pertes : 350 000 morts.

Il faut tout réorganiser !

En ce début d'année, la situation est plus qu'alarmante. En France, les usines ne peuvent travailler qu'au ralenti car les ouvriers sont dans les tranchées. Il faut donc constituer une main-d'œuvre de complément et faire appel aux femmes, aux étrangers, aux indigènes des colonies*, mais aussi aux enfants de plus de 14 ans. Enfin, il est nécessaire d'adapter les entreprises aux immenses besoins des armées, largement supérieurs aux prévisions les plus alarmistes. Autre inquiétude : les productions de charbon et d'acier sont réduites de moitié, car les Allemands occupent les riches départements producteurs et industriels du Nord et de l'Est. De plus, dans ces régions, les filatures, les mines, les hauts-fourneaux* travaillent désormais pour l'ennemi. Malgré cela, la France fait lentement face pour répondre le mieux possible aux demandes croissantes venant du front.

Un atelier d'obus de gros calibre dans une usine Peugeot. À l'arrière, les femmes participent désormais à l'effort de guerre en travaillant dans les usines.

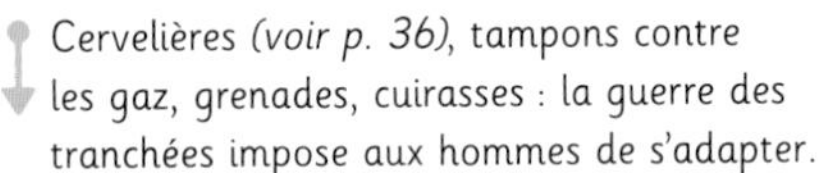

Cervelières *(voir p. 36)*, tampons contre les gaz, grenades, cuirasses : la guerre des tranchées impose aux hommes de s'adapter.

De nouveaux uniformes

À la fin de l'année 1914, que reste-t-il des brillants uniformes de l'entrée en guerre ? Ils sont usés, lacérés, délavés, souvent en loques. Les képis n'ont plus de forme et il faut remplacer ceux qui ont été perdus ou déchirés. En France, un nouvel uniforme simplifié est adopté *(photo à droite)*. De couleur bleu clair, sa coupe économise le drap, limite le temps de fabrication, et surtout, il est plus confortable pour le soldat. Toutefois, il faudra 6 mois avant que les nouvelles tenues soient distribuées à tous. Le poilu* de l'hiver 1914-1915, habillé d'effets provisoires, protégé du froid par des lainages et des tricots bariolés envoyés par les familles, ressemble plus à un chiffonnier qu'à un militaire.

1er juillet 1916
Début de l'offensive alliée sur la Somme, qui se solde par des pertes énormes : 20 000 Anglais tués lors de cette première journée, pour quelques centaines de mètres gagnés. Cette bataille de la Somme durera un an et fera 1 million de victimes.

24 août 1916
L'ancien Premier ministre grec Venizélos, qui souhaite la victoire des Alliés, appelle les Grecs à se soulever contre leur roi Constantin, qui maintient le pays dans la neutralité.

Malgré l'emploi d'une artillerie lourde, l'offensive française en Champagne ne peut provoquer la rupture du front allemand.

De grandes offensives, des pertes énormes

Pendant toute l'année 1915, telle une obsession, le commandement français cherche systématiquement à disloquer le front allemand. Trois grandes offensives de rupture sont vainement tentées : en Champagne en février, en Artois en mai, puis surtout à nouveau en Champagne en septembre. Mais chaque fois, une amélioration des défenses ennemies empêche de réussir. Plus grave encore, le manque de moyens et d'artillerie* est compensé par une augmentation des effectifs engagés. Ce qui accroît les pertes humaines, sans amener de grands résultats. Pourtant, l'obéissance et le courage des assaillants caractérisent ces vastes offensives qui se voulaient décisives.

De la mer du Nord à la frontière suisse, des milliers de kilomètres de tranchées sont creusés, bien visibles sur cette vue aérienne.

Les premières lignes françaises : une tranchée disputée à l'ennemi sur la crête des Éparges (un des hauts lieux des grandes attaques sanglantes de 1915, près de Verdun).

« Je les grignote »

Pour maintenir l'ennemi en alerte, le général Joffre multiplie également tout au long de l'année des opérations locales. Il est vrai que le tracé du front est parfois défavorable et demande quelques rectifications. La possession d'une hauteur, d'une crête, d'un observatoire ou des ruines d'un village devient une sorte de hantise. Ces actions se renouvellent donc dans l'Argonne, les Vosges, l'Aisne, la Meuse. Chaque fois, des dizaines de milliers d'hommes tombent, et souvent pour quelques mètres seulement de terrain gagné. Ces pertes, qui s'amplifient et deviennent considérables avec le temps, sont le plus couramment dues à l'obstination de chefs trop éloignés de la réalité des combats. Malgré cela, à la fin de l'année, Joffre peut déclarer : « Je les grignote », en parlant de sa stratégie face à l'ennemi.

octobre 1916

L'occupant allemand instaure en Belgique un service du travail obligatoire. Dans ce but, il entame la déportation de travailleurs belges – des chômeurs en général – vers l'Allemagne.

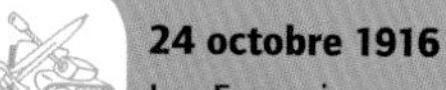

24 octobre 1916

Les Français reprennent enfin le fort de Douaumont.

Après 8 mois de combats acharnés autour de Verdun, cet assaut victorieux redonne le moral aux troupes françaises, qui parviennent le 2 novembre à réoccuper le fort de Vaux.

Une guerre pas si moderne que ça

Brutalement, cette guerre des temps modernes replonge le combattant dans des pratiques anciennes. Des armes et des procédés utilisés depuis l'époque moyenâgeuse ressurgissent dans l'arsenal guerrier. Casques, cuirasses, matraques, grenades et mortiers* redeviennent utiles, voire obligatoires.

Le casque

En mars 1915, une première protection française, simple calotte métallique appelée cervelière, est distribuée dans les tranchées. Elle se place à l'intérieur du képi. Mais la multiplication et la gravité des blessures à la tête imposent la fabrication d'un véritable casque. Des impératifs, tels que le manque d'acier, le coût et l'urgence, vont lui donner sa forme et sa légèreté : c'est le casque Adrian, du nom de son concepteur *(ci-contre, à gauche)*. Il est distribué massivement au cours de l'été. À la fin de l'année, plus de 3 millions sont déjà fournis aux armées. Le casque allemand en acier n'est adopté et distribué qu'au début de la bataille de Verdun, en février 1916 *(à droite)*.

La matraque

Objet plus ou moins réglementaire, la matraque sert surtout aux patrouilleurs qui rampent la nuit dans le no man's land* à la recherche de renseignements. Elle permet d'assommer sans bruit une sentinelle, ou de se défendre dans une tranchée étroite, là où le long fusil devient encombrant. *(Ici, de gauche à droite, matraques anglaise, française et allemande.)*

Le poignard

Les premiers sont distribués aux soldats dès le printemps 1915. Au début, ce sont de simples couteaux de boucherie pourvus d'un étui. Peu à peu, des modèles réglementaires moins agressifs apparaissent. Utilisés au combat par quelques-uns seulement, ils servent le plus souvent à couper le gros pain de l'intendance.

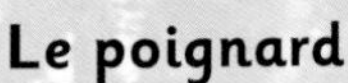

5 novembre 1916
L'Allemagne et l'Autriche proclament la fondation d'un royaume polonais autonome. Cependant, leur espoir d'obtenir en contrepartie le soutien de la Pologne contre la Russie est déçu.

21 novembre 1916
L'empereur d'Autriche-Hongrie François-Joseph meurt à Vienne à 86 ans. Il est remplacé par son petit-neveu Charles Ier.

La grenade

Abandonnée en France après les guerres napoléoniennes, la grenade est simplement réservée à la défense des forts en 1914. En revanche, elle est réglementaire dans l'infanterie* allemande. Mais la tranchée impose son utilisation massive dans les deux camps. Simple pétard rudimentaire au printemps 1915, elle est en 1916 un véritable outil de mort, à la fois défensif et offensif. Entre-temps, de très nombreux modèles sont distribués. La France, à elle seule, en commandera plus de 150 millions au cours du conflit.

Le crapouillot

À peine les premières tranchées creusées, les Alliés subissent le tir d'une arme allemande à trajectoire courbe, inconnue chez eux : le canon de tranchée. La première réponse française est de sortir précipitamment des arsenaux de petits mortiers de bronze datant de Louis-Philippe. Leur forme basse – qui les fait ressembler à des crapauds – donne son nom à l'arme : le crapouillot. Après une courte période de bricolage, une série d'engins rustiques très efficaces et populaires apparaissent, compensant largement les insuffisances du début.

La cuirasse

En 1914, dans la cavalerie, seuls les cuirassiers disposent encore d'une cuirasse. Avec les tranchées, différents modèles de protections apparaissent. Certains, légers *(comme celui du soldat belge ci-contre)*, protègent des petits éclats et des coups de baïonnette ; d'autres, très lourds et encombrants, permettent aux guetteurs de rester aux créneaux de tir, même en cas de bombardement.

22 novembre 1916
Le romancier américain Jack London meurt en Californie. Parmi ses ouvrages, les deux plus célèbres sont ceux qu'il a écrits sur le monde animal du Grand Nord : *L'Appel de la forêt* et *Croc-Blanc*.

15 décembre 1916
À la suite d'un assaut victorieux des poilus*, les Allemands mettent un terme à l'offensive sur Verdun. Cette bataille de Verdun, commencée le 21 février 1916, a fait quelque 330 000 tués : 175 000 Français et 155 000 Allemands.

Le conflit s'étend…

Étonnement, agacement, lassitude… il faut se rendre à l'évidence : rien ne laisse présager une solution proche. L'Europe est prisonnière de la guerre. Peu à peu, le conflit s'étend autour de la Méditerranée. Turquie, Italie, Égypte, Balkans puis Grèce : de nouveaux foyers s'allument, les deux blocs s'efforçant d'attirer des alliés.

L'Italie dans le camp de l'Entente

Le 24 mai 1915, après d'âpres négociations avec les Alliés, l'Italie – pourtant signataire de la Triple-Alliance* *(voir p. 8 et 11)* – abandonne sa position de neutralité et déclare la guerre à l'Autriche-Hongrie. Mais elle est mal préparée et, rapidement, les combats s'enlisent sur les hauts reliefs des Alpes. Les quelques territoires gagnés le sont au prix de très lourdes pertes. Pendant 3 ans, les deux adversaires se disputent des sommets, des cols, des plateaux d'altitude. La neige, la glace, le froid et les avalanches ajoutent à la misère quotidienne des factions*, des corvées, des assauts et des relèves.

Tentative de débarquement en Turquie

La Triple-Entente* a déclaré la guerre à la Turquie en novembre 1914. Au nord, les Turcs font face aux Russes ; au sud, du canal de Suez au golfe Persique, ils s'opposent aux troupes britanniques. Enlisés sur le front français, les Alliés s'accordent pour réaliser une action contre le détroit des Dardanelles. À la suite d'une opération navale malheureuse, ils décident de débarquer des contingents anglo-français sur la rive européenne du détroit. Le 25 avril 1915, les débarquements commencent. Mais les Turcs, conseillés par des officiers allemands, clouent les Alliés sur la côte. Après 8 mois de combats tenaces où les troupes de Nouvelle-Zélande et d'Australie rivalisent de grandeur, l'échec allié, très meurtrier, est incontestable.

Des artilleurs italiens installent un canon face aux positions autrichiennes.

30 décembre 1916

Pour mettre fin au rôle néfaste de Raspoutine dans les affaires russes, des proches du tsar l'assassinent. L'influence de cet homme sur le couple impérial était en effet devenue considérable dans de nombreux domaines, tant politiques que religieux.

16 janvier 1917

Par télégramme, Berlin propose secrètement une alliance militaire au Mexique en cas de guerre contre les États-Unis. Mais le télégramme est intercepté et décodé par la marine britannique qui en remet le texte au gouvernement américain en février.

Aux Dardanelles, les Australiens et les Néo-Zélandais s'élancent à l'assaut des positions turques.

L'évacuation est décidée. Plus au sud, depuis le Sinaï, les Turcs, voulant porter un coup au prestige britannique, tentent un raid contre le canal de Suez. Ils échouent, mais la guerre s'étend dans le désert. En Mésopotamie, des colonnes britanniques se rapprochent de Bagdad, mais finalement se retrouvent assiégées à Kut el-Amara.

À la fin de l'année 1915, l'armée serbe en retraite se réfugie à Corfou avant de rejoindre l'armée d'Orient installée à Salonique.

La Serbie est balayée

À la fin de 1914, après quelques succès éphémères, les troupes austro-hongroises subissent à Kolubara, près de Belgrade, une défaite retentissante, comparable à celle que les Allemands ont connue lors de la bataille de la Marne *(voir p. 25)*. Elle provoque une débâcle de l'Autriche dont les troupes ne se rétablissent qu'à la frontière. L'invasion autrichienne, qui se voulait punitive, se termine de façon désastreuse et surtout humiliante.

Mais en septembre 1915, la Serbie est à son tour terrassée par une attaque commune de l'Allemagne et de l'Autriche, auxquelles s'associe la Bulgarie. La retraite serbe à travers le Monténégro et l'hostile Albanie est une longue et cruelle épreuve. Un corps expéditionnaire allié, prélevé sur les troupes des Dardanelles, est vite envoyé en soutien dans le sud de la Serbie, mais il arrive trop tard. Au début de l'hiver, il ne peut que se retrancher à Salonique, en Grèce.

Le front en 1915

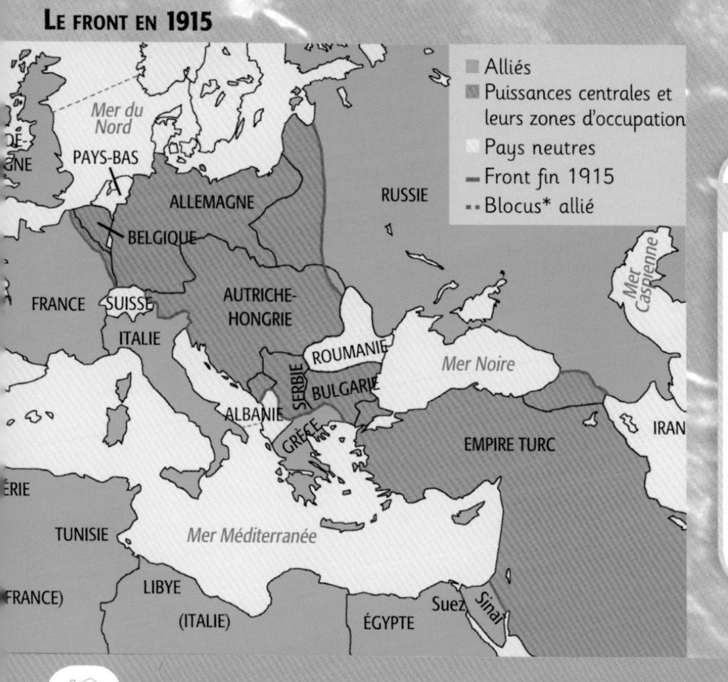

LE MASSACRE DES ARMÉNIENS

Dès le début des opérations, les Arméniens – un peuple originaire du nord-est de l'empire turc – montrent une préférence pour les armées russes. Le tsar les a appelés à se lever contre la tyrannie ottomane. Au cours de l'été 1915, les Turcs évacuent donc les populations arméniennes de la zone des combats. Commence une lente et terrible déportation en direction du désert de Mésopotamie, qui se transforme en une véritable extermination du peuple arménien vivant en Turquie. On estime que ce génocide, qui dura plus de 2 ans, a causé la mort de plus de 1,5 million de victimes civiles.

janvier-février 1917
Une grande vague de froid s'abat sur Paris qui enregistre des températures allant jusqu'à – 15 °C. Le manque de charbon se fait ressentir dans les arrondissements les plus pauvres, et les restaurants sont soumis à de très sévères restrictions.

3 février 1917
Après l'annonce allemande, le 1er février, de la reprise de la guerre sous-marine à outrance, les États-Unis rompent leurs relations diplomatiques avec l'Allemagne. Le 5 février, ils font de même avec l'Autriche-Hongrie.

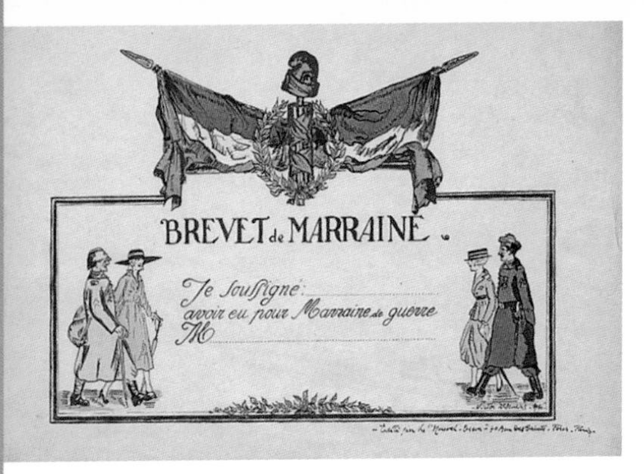
BREVET de MARRAINE

Je soussigné ....
avoir eu pour Marraine de guerre
M ....

De nombreuses femmes s'intéressent au sort des soldats isolés en leur envoyant lettres et colis : on les appelle les marraines de guerre.

Et à l'arrière...

Avec la guerre qui s'installe dans le temps, les populations civiles sont dérangées dans leurs habitudes. Réquisitions et rationnements rythment les saisons : il faut avant tout donner aux armées de quoi livrer bataille.

Des armées à nourrir

En France, le service de l'intendance doit assurer chaque jour l'alimentation de plus de 3 millions de soldats. Pour cela, il faut quotidiennement acheter, transporter et préparer 3000 à 4000 tonnes de denrées diverses. La simple confection de la ration de pain journalière pour 100000 hommes nécessite 60 tonnes de farine, 750 kg de sel et 20 tonnes de bois de chauffage... alors que les récoltes ont diminué de plus de 30 %, par manque d'engrais et surtout de main-d'œuvre.

À l'arrière des lignes, réception et distribution des subsistances aux armées.

Acheter à l'étranger

Les besoins en vivres sont tellement importants que le pays doit importer viande congelée, farine, riz, café, sucre, chocolat, alcools, matières grasses de l'étranger, ou les faire venir de ses colonies* ; orge et avoine pour nourrir les centaines de milliers de chevaux utilisés par l'armée ; et du cuir pour fournir chaussures et équipements aux combattants. Mais cela ne suffit pas, il faut donc restreindre les besoins des populations civiles et même leur imposer des rationnements.

De nouvelles difficultés

À partir de 1916, les restrictions s'amplifient. La vente des boissons alcoolisées est réduite. Lait, sucre, farine, tabac, essence et charbon sont rationnés. Les pâtisseries sont fermées. La consommation de pain est limitée et sa qualité baisse, alors que c'est la base de la nourriture. Les restaurants et les cantines sont réglementés. En 1918, des journées sans viande sont imposées, et la carte d'alimentation est étendue à toute la population. Ces contraintes provoquent le mécontentement, favorisent le marché noir* et incitent certains à faire des profits illégaux.

Différents modèles de cartes de rationnement françaises et allemandes.

13 février 1917
Arrestation à Paris de la célèbre danseuse et courtisane néerlandaise Mata Hari, accusée d'espionnage au profit de l'Allemagne. Elle sera condamnée à mort le 25 juillet et fusillée le 15 octobre.

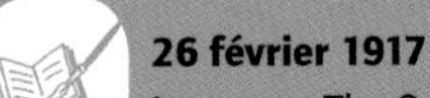
26 février 1917
Le groupe The Original Dixieland Jazz Band enregistre le premier disque de jazz : *Livery Stable Blues*. Il se vendra à plus de 1 million d'exemplaires, pulvérisant ainsi tous les records de vente de l'époque.

Une guerre interminable pour l'arrière aussi

Pourtant, les Français ne souffrent pas vraiment : contrairement aux Allemands, ils ne connaissent pas de sous-alimentation mortelle. Mais l'incertitude mine les esprits. Y a-t-il une victoire possible ? Chaque jour apporte son lot de deuils, de veuves, d'orphelins. Les conscrits* partent de plus en plus jeunes. À 18 ans, il leur faut rejoindre les casernes. Certaines villes sont bombardées, les victimes civiles sont nombreuses. L'inflation fait monter les prix, des grèves mettent en danger les productions de guerre. Mais le gouvernement, tout en restant ferme, fait des concessions et accorde de meilleurs salaires. Les civils ont eux aussi l'impression de faire la guerre.

Après un bombardement aérien, des Parisiens viennent constater les dégâts.

LE "MENU" DU SOLDAT

Chaque jour, le soldat français qui est au front consomme environ 750 g de pain, 450 g de viande, 100 g de légumes secs, 50 g de potage, 20 g de sel, 30 g de lard, 16 g de café, 20 g de sucre, un tiers de litre de vin, 6 cl d'alcool et 20 g de tabac. Sans oublier quelques légumes frais, souvent du fromage, de la confiture et, les jours de fête, des menus améliorés. De l'autre côté des lignes, le soldat allemand voit sa ration diminuer chaque mois, avec moins de matières grasses, 200 g de viande, des navets qui reviennent régulièrement et du pain exécrable. Pourtant, il est bien mieux loti que la population civile allemande.

Divorce entre l'avant et l'arrière

Les combattants, dans leur grande solitude, sont surpris, agacés ou choqués par le comportement et les réactions de ceux de l'arrière. Loin des tranchées, la vie continue. Les ouvriers ont de confortables salaires, les ouvrières vivent plutôt librement, les campagnes profitent de la montée des prix, les théâtres et cinémas ne désemplissent pas. Pourtant, les civils se plaignent. Les uns et les autres ne peuvent vraiment pas se comprendre.

File d'attente devant un bureau de tabac à Paris, place du Théâtre-Français.

2 mars 1917
Porto Rico, une île des Caraïbes alors colonie* américaine, devient territoire des États-Unis. Ses habitants deviennent par la même occasion citoyens américains.

15 mars 1917 (2 mars du calendrier russe)
Suite à la révolution de Février et sous la pression des militaires, le tsar Nicolas II abdique en faveur de son frère, le grand-duc Michel, qui renonce à son tour au trône. Le premier gouvernement provisoire, dirigé par le prince Lvov, entre en fonction.

La guerre devient industrielle

La réouverture des usines et la réorganisation des productions permettent de satisfaire les commandes pressantes des militaires. Pour financer, produire et entretenir cette guerre industrielle, les États, malgré des réserves d'or importantes, font vite appel à l'emprunt. Une véritable chasse au métal jaune s'engage : les populations sont incitées à l'échanger contre des billets.

Des canons, des obus et des grenades

Malgré une grande pénurie de matières premières, mais aussi de main-d'œuvre spécialisée, les industries de guerre savent s'adapter à des demandes colossales. Au-delà du simple remplacement de biens à fabriquer, il faut multiplier les productions. Pour la France, les besoins concernent surtout la fabrication d'une artillerie* lourde moderne, encore insuffisante. Les gros canons doivent écraser les lignes ennemies, détruire les redoutables réseaux de barbelés, et permettre l'offensive victorieuse et finale.

Des nations mobilisées pour la victoire

Par obligation et pour répondre aux immenses besoins du front, les gouvernements doivent souvent réglementer et diriger la vie des populations civiles : fixer les prix, imposer les rationnements et décider des interdictions, afin de réserver le maximum de tonnages pour les armées. Les États peuvent ainsi organiser les productions et les importations, et les adapter aux besoins du pays et surtout des troupes. En Allemagne, pour surmonter le manque de matières premières, les chimistes développent une véritable industrie de l'ersatz* et du synthétique pour fabriquer matières grasses, essences, caoutchouc... Les découvertes sont nombreuses et parfois révolutionnaires.

Gigantesque dépôt d'obus de gros calibre.

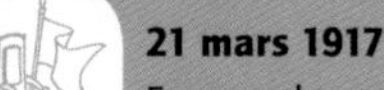

21 mars 1917
En accord avec l'Allemagne, les Flamands obtiennent la séparation administrative de la Belgique. Bruxelles devient "capitale" de la Flandre, Namur celle de la Wallonie. Le gouvernement belge installé en France proteste.

23 mars 1917
Charles Ier, le nouvel empereur d'Autriche, fait secrètement des propositions de paix au président français Poincaré. Mais elles n'aboutissent pas car la France soumet aux Autrichiens des conditions inacceptables pour eux.

Chaque jour, les gouvernements communiquent des nouvelles qui se veulent officielles.

Il faut aussi diriger les opinions

Pour cela, les gouvernements disposent de la censure. Elle contrôle et limite l'information, et étouffe la critique. À l'inverse, la propagande et le "bourrage de crâne" incitent à la discipline et flattent les valeurs nationales : ce sont les armes contre le défaitisme et le pacifisme. Un autre objectif est d'accabler l'ennemi tout en rassurant les nations neutres. C'est un moyen pour essayer de les conduire, d'une manière ou d'une autre, à se prononcer pour le bon camp, et même à prendre part à la lutte.

Le blocus de l'Allemagne

Des conventions internationales assurent normalement la liberté de navigation pour les bateaux de commerce en période de conflit. Malgré cela, l'Angleterre et la France organisent, en août 1914, le blocus* maritime des marchandises à destination de l'Allemagne. Il est progressivement renforcé par le contrôle et les saisies de la cargaison des navires des nations neutres. Certaines, comme les Pays-Bas ou les pays scandinaves, font en effet du trafic et multiplient leurs importations. D'ahurissantes histoires de contrebande sont ainsi découvertes. Elles concernent des produits comme le coton ou la glycérine - indispensables à la fabrication des explosifs -, qui sont revendus à l'Allemagne.

Couverture du *Petit Journal* illustrant une scène d'émeute à Berlin : les restrictions imposées aux Allemands sont utilisées par la propagande alliée.

LE TRAVAIL DES FEMMES

La guerre modifie profondément la place de la femme dans la société. Partout, dans chaque pays, elle remplace l'homme absent. Son rôle évolue : il ne suffit plus de tenir un foyer, mais bien de participer activement à la vie du pays. À la ville comme à la campagne, des usines aux écoles, les femmes se voient confier des tâches jusque-là réservées aux hommes. Elles le font avec dignité et réussite. Joffre n'affirme-t-il pas en 1915 : « Si les femmes qui travaillent s'arrêtaient 20 minutes, les Alliés perdraient la guerre » ?

6 avril 1917
Les États-Unis déclarent la guerre à l'Allemagne. Ils ne la déclareront à l'Autriche-Hongrie que le 7 décembre 1917.

mai 1917
Entamées principalement par des ouvrières, de nombreuses grèves éclatent en France. Les revendications concernent surtout les salaires et la hausse des prix.

Terribles gaz

Le 22 avril 1915, au nord d'Ypres, en Belgique, un violent bombardement s'abat sur les tranchées françaises. Les guetteurs signalent une nappe verdâtre qui se rapproche en provenance des lignes allemandes. Poussée par un léger vent et dégageant une forte odeur de chlore, elle atteint les tranchées. En violation des accords internationaux, les Allemands viennent d'utiliser pour la première fois les gaz de combat.

Un succès limité, mais qui effraye

Immédiatement, ceux qui respirent cet air chloré sont intoxiqués, et aux endroits où la nappe est la plus épaisse, la mort survient rapidement. Équipées d'un masque rudimentaire, les troupes allemandes peuvent avancer de 3 km avant d'être arrêtées par les défenseurs alliés. L'Allemagne vient d'obtenir en quelques heures un résultat inespéré : elle a crevé un front qui paraissait infranchissable. Ce succès éveille une forte inquiétude chez les Alliés, du fait de l'importance des industries chimiques allemandes.

Des gaz de plus en plus nocifs

Cette première attaque à base de simple chlore fait 5 000 morts et 15 000 intoxiqués plus ou moins gravement. Les Allemands sont maintenant convaincus des larges possibilités offertes par une utilisation à grande échelle des gaz. Ils en accentuent la toxicité et trouvent d'autres moyens de dispersion. Après quelques tâtonnements, ils envoient des obus chargés de gaz. Cette utilisation par l'artillerie* se perfectionne. Bientôt, le bombardement toxique est pratiqué dans les deux camps : il est de toutes les attaques et le restera jusqu'à la fin de la guerre.

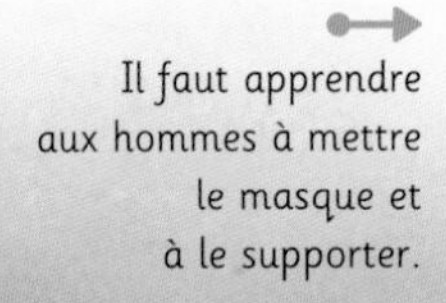

Il faut apprendre aux hommes à mettre le masque et à le supporter.

13 mai 1917
Trois jeunes bergers du village portugais de Fatima affirment avoir eu une apparition de la Vierge Marie. Après d'autres apparitions, les pèlerins commencent à affluer. Fatima va devenir l'un des lieux de pèlerinage les plus fréquentés au monde.

mai 1917
Dans de nombreuses villes françaises, des jours sans viande sont instaurés. Le gouvernement demande cet effort de guerre à la population afin d'économiser la viande et de la réserver aux soldats.

Des protections améliorées

Quelques jours après l'attaque sur Ypres, les premières protections sommaires arrivent dans les tranchées françaises. Elles consistent en une paire de lunettes, ressemblant à celles des motocyclistes, accompagnée d'un fort tampon de gaze et d'ouate. Le soldat doit le mouiller d'un liquide neutralisant, avant de l'appliquer sur le nez et la bouche. À la fin du conflit, chaque combattant dispose d'un masque qui n'a plus rien de rudimentaire.

Les populations civiles restées dans la zone des armées reçoivent elles aussi des moyens de protection.

Un des modèles utilisés par l'armée française en 1915 *(en haut)*, et celui fourni aux Allemands à la même date *(à droite)*.

Une souffrance de plus

Insidieux, mortel, souvent détecté trop tard, le gaz est une épreuve supplémentaire que doit supporter le combattant. Même si le masque s'améliore et assure une protection plutôt efficace, son port est contraignant et particulièrement désagréable. Très rapidement, la chaleur devient étouffante, la respiration difficile, la buée se concentre sur les verres. Le soldat distingue difficilement ce qui l'entoure et perd de sa combativité. Et cela peut durer des heures...

Les gaz n'épargnent pas les animaux, même les chevaux doivent être protégés.

La chimie au service de la guerre

La guerre des gaz entraîne la participation active des industries chimiques. Elles rivalisent pour inventer, produire et perfectionner les substances nocives. Le but est de surprendre l'ennemi, de lui faire perdre ses capacités de résistance, et de tenter de l'intoxiquer le plus gravement possible. En juillet 1917, les Allemands utilisent ainsi pour la première fois l'ypérite, appelée aussi gaz moutarde. Très nocif et facile à disperser par obus, ce gaz reste persistant pendant plusieurs jours sur le terrain. Pour les hommes contaminés, il y a peu de chance de survivre longtemps : il provoque la destruction des alvéoles pulmonaires, ce qui entraîne une mort plus ou moins lente.

12 juin 1917
Sous la pression des Alliés, le roi grec Constantin abdique. Son deuxième fils, Alexandre, lui succède. Rappelé au pouvoir, l'ancien Premier ministre Venizélos déclare la guerre à l'Allemagne, l'Autriche-Hongrie, l'empire turc et la Bulgarie, le 29 juin.

6 juillet 1917
Menés par le colonel Lawrence, les Arabes s'emparent d'Aquaba, ville portuaire stratégique de la mer Rouge. L'officier britannique, connu sous le nom de Lawrence d'Arabie, organise la révolte arabe contre l'empire turc depuis le début de la guerre.

Verdun, mêlée franco-allemande

En décembre 1915, sans beaucoup d'imagination, les Alliés définissent sous l'autorité de Joffre les objectifs pour l'année 1916. Ils sont comparables à ceux de 1915 : maintenir la pression sur l'ennemi et se donner les moyens de briser son front. La Somme est le lieu choisi. Mais les Allemands surprennent Joffre : en février 1916, ils attaquent brusquement devant Verdun.

À Verdun, où la terre est comme calcinée, les tranchées ne sont plus que d'informes sillons.

Pourquoi Verdun ?

Après une année défensive sur le front occidental, les Allemands décident de changer de tactique et de lancer sur Verdun l'armée du fils aîné du Kaiser*. Pourquoi cette ville ? Pour son nom, car la cité a un glorieux passé. Pour sa situation géographique : le front y forme une grande poche, ce qui facilite l'attaque. Ensuite, parce qu'en 1916, les forts sont désarmés. Et enfin, principal atout, les Allemands y disposent d'un important réseau de voies ferrées alors que du côté français, seuls une étroite route et un petit chemin de fer local relient la ville à l'arrière.

L'attaque allemande

Elle est prévue pour provoquer en France un effondrement militaire, mais aussi moral. Le 21 février 1916, les Allemands se ruent sur la région fortifiée de Verdun. Après un bombardement sans précédent, ils commencent à progresser sur la rive droite de la Meuse. Le 24, la situation est critique : partout, ils occupent déjà les deuxièmes lignes françaises. Pour Joffre, il n'y a pas d'alternative : il faut défendre Verdun !

La bataille de Verdun, en France comme en Allemagne, provoque chez les artistes une multitude de productions patriotiques.

1er août 1917
Le pape Benoît XV appelle tous les pays en guerre à cesser le conflit. Il adresse également aux belligérants une offre de médiation.

25 août 1917
À la suite d'un mouvement de mutinerie* de marins allemands sur la base de Wilhelmshaven, le tribunal militaire prononce de très lourdes condamnations dont 5 peines de mort.

Une terrible déconvenue

En prenant cette décision, Joffre est-il conscient de l'ampleur du sacrifice qu'il demande aux soldats ? Le 25 février, le général Pétain – qui vient d'être nommé responsable de la défense de la région fortifiée de Verdun – apprend en arrivant sur place la prise du fort de Douaumont par les Allemands. Les jours suivants, les combats sont acharnés ; mais peu à peu, la résistance française s'organise et la progression allemande s'essouffle.

Un terrifiant combat qui use les hommes

Une nouvelle phase de la bataille commence... La percée n'étant pas réalisée, les Allemands conçoivent une nouvelle tactique, celle de l'usure. Elle doit provoquer l'engagement total des forces françaises et en "broyer" le maximum. Le combat s'amplifie jusqu'en juillet et s'étend sur les deux rives de la Meuse. Pour résister, Pétain militarise la seule route qui relie Verdun à l'arrière : dès lors, plus de 3000 véhicules s'y succèdent, de jour comme de nuit, au rythme d'un toutes les 20 secondes. Presque toute l'armée française qui monte vers la fournaise de Verdun emprunte cette "Voie sacrée". Un petit train local, le Meusien, est le second moyen utilisé pour alimenter cette monstrueuse bataille.

Inlassablement, les camions se suivent tout au long des 60 km de la Voie sacrée.

Dès les premiers jours de la bataille, le fort de Douaumont est dévasté sous l'intensité des bombardements.

Une défense tenace et héroïque

Pendant de longues semaines, attaques et contre-attaques se succèdent. Les combats atteignent un degré de violence inimaginable. Les hommes sont pulvérisés, noyés dans la boue, gazés, brûlés. Pour faire rempart, l'armée française doit sans cesse amener des renforts sur ce petit espace tellement sanglant qu'il est maintenant sacré. Cette mobilisation morale des défenseurs épuise aussi l'assaillant. Le 11 juillet, une ultime tentative d'offensive ennemie échoue, presque en vue de la ville. L'armée allemande a désormais d'autres inquiétudes : la bataille de la Somme vient de débuter.

LA CHUTE DU FORT DE VAUX

Début juin 1916, les Allemands parviennent à encercler le petit fort de Vaux. Pendant 6 jours, la garnison se défend âprement. Mais les troupes ennemies s'infiltrent dans les couloirs et, mètre après mètre, progressent vers les galeries principales. Isolé, le fort utilise des pigeons pour informer le commandement de la situation et demander une contre-attaque. Six tentatives françaises échouent. Le 7 juin, privés d'eau car les citernes sont fissurées, les survivants, assoiffés, ne peuvent que se rendre.

11 septembre 1917
L'aviateur Georges Guynemer, âgé de 23 ans, est abattu au cours d'une mission aérienne. Cet as aux 54 victoires aériennes devient le héros de l'aviation française.

27 septembre 1917
Le peintre français Edgar Degas meurt à Paris. Il fait figure de grand maître de l'impressionnisme, mais son style, unique et libre, reste un peu à part du mouvement.

L'heure de la Grande-Bretagne

La petite armée anglaise de 170 000 soldats professionnels en 1914 devient, en 1916, une puissante force de plus de 2 millions d'hommes. Depuis janvier, le service militaire remplace l'enrôlement volontaire, et après une instruction rapide, les recrues rejoignent la France. Une grande offensive alliée est en préparation dans la Somme. Elle doit débuter le 1er juillet 1916.

Camouflés par le brouillard, des fantassins* anglais rejoignent les premières lignes.

Une bataille décidée en décembre 1915...

À ce moment, le général Joffre est considéré, sans en avoir le titre, comme le commandant en chef interallié*. Il propose une bataille franco-anglaise décisive, préparée et menée avec tous les moyens nécessaires. Un lieu : la Somme ; un seul but : briser le front allemand. Le général Foch est le commandant des quarante-deux divisions françaises prévues, et le général Haig celui des deux armées anglaises concernées. Joffre demande aussi aux Russes d'attaquer à la même date sur le front oriental.

... mais repoussée à cause de Verdun

Foch a prévu une attaque si puissante, sur 70 km de large, qu'elle ne peut que provoquer l'écroulement du front ennemi. Mais l'offensive allemande sur Verdun bouscule et dérange les préparatifs alliés. Aussi, dès le mois de mars 1916, Foch doit revoir son plan : il réduit progressivement ses prétentions et donne aux Anglais le rôle principal. En effet, la bataille de Verdun absorbe toutes les réserves françaises. Chaque jour, Pétain réclame des renforts, des canons et des munitions, ce qui irrite Joffre qui le trouve trop alarmiste et excessif dans ses demandes. En mai, les plans de Foch sont de nouveau revus à la baisse : le front d'attaque sera limité à 25 km pour les Anglais et 15 km pour les Français.

2 novembre 1917
Déclaration Balfour : le ministre britannique des Affaires étrangères, Lord Balfour, publie une lettre indiquant que son gouvernement est favorable à la création d'un foyer national juif en Palestine.

6-7 novembre 1917 (25-26 octobre du calendrier russe)
Les bolcheviks s'emparent des principaux centres de décision de la capitale Petrograd, renversent le gouvernement provisoire et prennent le pouvoir. Lénine instaure un état socialiste : la Russie devient communiste.

Une offensive très vite enlisée

Le 1er juillet, dès les premières heures de l'offensive, les Britanniques sont arrêtés et surtout ils subissent des pertes effarantes. Du côté français, la progression est plus rapide, mais l'attaque ne prend pas la tournure souhaitée par Foch. Très vite, les Allemands se ressaisissent. Pour eux, Verdun n'est plus l'objectif. Ils ramènent donc hâtivement des canons et des dizaines de milliers d'hommes dans la Somme. La bataille dégénère alors en une suite d'actions partielles et terriblement sanglantes. En septembre, l'offensive alliée est relancée. La Roumanie vient d'entrer en guerre dans le camp franco-anglais, et Joffre veut montrer à l'ennemi la coordination des actions menées. Mais une fois de plus, la bataille s'enlise. Le terrain est devenu un effroyable bourbier. Les Allemands connaissent cependant à leur tour l'usure de leurs réserves.

Les Alliés comptent leurs prisonniers par milliers, mais cela ne suffit pourtant pas à provoquer la rupture du front allemand.

L'APPARITION DU CHAR D'ASSAUT

En Angleterre comme en France, des officiers proposent depuis des mois d'utiliser des véhicules chenillés, blindés et armés, seuls capables selon eux de provoquer la rupture du front. Le 15 septembre 1916, dans la Somme, les Anglais engagent 18 monstrueux chars qui accompagnent les troupes d'assaut. Cette apparition surprend l'ennemi, mais la brèche n'est pas exploitée. Les Allemands se ressaisissent et comblent la trouée.

Désenchantement dans les deux camps

L'année 1916 est la sœur de 1915 : terrible et sans aucune solution militaire apportée. Verdun est resté français et la Somme allemande. La Roumanie a été balayée en quelques semaines, et les offensives russes contenues. Chaque camp dénombre alors ses pertes et règle ses comptes. En Allemagne, Verdun a provoqué le départ de Falkenhayn, remplacé par Hindenburg. En France, la Somme entraîne une semi-disgrâce pour Foch, et détermine surtout le renvoi de Joffre. Mais pour ne pas choquer l'opinion, il est élevé à la dignité de maréchal de France. Ce n'est donc pas lui qui gérera la profonde crise de lassitude qui va bientôt terrasser l'armée française.

Prisonniers de guerre roumains faits par l'armée bulgare.

16 novembre 1917
Après plusieurs remaniements ministériels, Poincaré accepte la constitution d'un ministère Clemenceau. À 76 ans, ce dernier annonce son intention de poursuivre et d'intensifier la guerre avec l'Allemagne. Sa détermination lui vaut le surnom de "Tigre".

17 novembre 1917
Mort du sculpteur français Auguste Rodin, qui laisse une œuvre considérable. Le président Raymond Poincaré rend hommage à l'artiste en le qualifiant de « Michel-Ange moderne ».

La guerre aérienne

À la veille de la guerre, l'aviation est balbutiante. Elle est pourtant déjà présente dans toutes les grandes armées, mais son utilité est encore contestée. Beaucoup n'y voit qu'un moyen de renseignements. En France, mais surtout en Allemagne, les dirigeables ont toujours la faveur.

De l'observation à la chasse

C'est un avion qui indique à Gallieni le changement de direction des armées allemandes devant Paris *(voir p. 23)*. Et c'est un équipage français qui, quelques semaines plus tard, abat à la carabine un aéroplane allemand. Mais l'emploi de la carabine est loin d'être satisfaisant. Des mitrailleuses sont donc installées sur les avions. Le tir vers l'avant est cependant limité par la présence de l'hélice. Un aviateur français, Roland Garros, imagine un système de synchronisation qui limite l'impact de la balle sur l'hélice. Mais il est abattu et fait prisonnier en 1915, et son système est amélioré par un ingénieur hollandais, Fokker, qui travaille pour l'Allemagne. Bientôt, tous les chasseurs sont équipés de mitrailleuses synchronisées.

Plus maniables, endurants, rapides et armés

Avec la stabilisation des lignes, les missions de l'aviation se diversifient progressivement entre observation, photographie aérienne, réglage de l'artillerie*, bombardement et chasse. Tout au long de la guerre, les adversaires se battent pour conserver ou reprendre la maîtrise du ciel. L'aviation connaît ainsi de grands progrès. Régulièrement, un nouvel avion apparaît qui donne pendant quelque temps une supériorité à l'un des camps. Pour l'Allemagne, c'est le Fokker puis l'Albatros ; pour la France, le Nieuport puis le Spad ; pour l'Angleterre, le Sopwith.

Apporter insécurité et terreur loin des lignes

En 1914, ce sont les Français qui, les premiers, bombardent les arrières ennemis. Mais les Allemands utilisent leurs zeppelins - de grands dirigeables rigides à structure d'aluminium - pour bombarder Londres et Paris. Ces raids sur les capitales alliées, accélérés en 1918 avec l'apparition des gigantesques avions de bombardement Gotha, font de très nombreuses victimes civiles.

Un zeppelin tente d'échapper à un avion ennemi.

6 décembre 1917
Dominée par les Russes depuis 1809, la Finlande profite de la révolution d'Octobre et de la guerre pour proclamer son indépendance. Dès janvier 1918, Lénine reconnaît son indépendance, mais l'URSS ne le fera officiellement qu'en 1920.

10 décembre 1917
Le Comité international de la Croix-Rouge reçoit le prix Nobel de la paix à Oslo.

LES "AS"

Tout pilote qui abat un avion voit son exploit cité et abondamment commenté dans les journaux. Avec 5 victoires aériennes, un pilote entre dans le club très fermé des as. Il devient une sorte de héros. En France, René Fonck est le plus titré avec 75 victoires officielles, mais c'est Guynemer qui est le plus populaire. Il disparaît en 1917 à l'âge de 23 ans après 54 victoires reconnues. Tous les pays glorifient leurs as. En Allemagne, l'un deux, Göring, deviendra l'un des hauts responsables nazis. Il sera le chef de l'aviation militaire allemande en 1939.

7 janvier 1918
En France, une loi crée un service de comptes courants et de chèques postaux. En simplifiant les transferts d'argent, les comptes postaux vont modifier les habitudes des Français.

14-21 janvier 1918
Des grèves de grande ampleur ont lieu en Autriche-Hongrie : à Vienne, Budapest et Prague, une grève générale des travailleurs paralyse le pays.

1917 : de l'espoir à la révolte

En ce début d'année, les Alliés sont rassurés. Dans la Somme, les Allemands ont abandonné presque 250 km² de territoire. L'armée française a fait preuve devant Verdun d'un courage et d'un esprit de sacrifice reconnus. Elle est prête à donner un dernier coup de reins. Il en est de même pour la jeune armée britannique qui, depuis 6 mois, n'a pas démérité. Et un nouveau chef remplace Joffre : Nivelle.

Un retrait allemand lourd de conséquences

L'année 1917 commence par un fait peu croyable : les Allemands reculent volontairement entre Arras et Soissons sur un front de plus de 100 km. Certains y voient déjà un pas vers la victoire. Il n'en est rien. Hindenburg veut simplement s'installer sur de nouvelles et puissantes positions mieux défendables. Voyant une faiblesse ennemie dans ce retrait, le nouveau généralissime* Nivelle promet, haut et fort, de percer les lignes allemandes sur le Chemin des Dames.

Le Chemin des Dames

C'est une petite route, entre Reims et Soissons, qui traverse le plateau séparant les vallées de l'Aisne et de l'Ailette. En dépit du retrait allemand et des doutes de plusieurs de ses généraux, Nivelle déclenche là son attaque le 16 avril 1917. Le temps est exécrable et malgré 14 jours de bombardements, les positions allemandes ne sont pas totalement détruites. Le soir, l'avancée n'excède pas quelques centaines de mètres, alors que le plan prévoyait l'entrée des troupes françaises dans Laon. On est loin de la dislocation du front annoncée si fortement. C'est un sévère et sanglant échec. C'est aussi une très grande déception pour les soldats comme pour la population. Cette faillite du commandement est la cause de mutineries*.

Vue aérienne du champ de bataille transformé en paysage lunaire.

23 janvier 1918
En France, la ration de pain journalière pour les civils est fixée à 300 g sur présentation d'une carte de rationnement.

28 janvier 1918
Une grève générale éclate à Berlin et s'étend à toutes les régions industrielles du pays. Les ouvriers exigent la fin de la guerre. Les autorités militaires brisent le mouvement en menaçant les grévistes du tribunal de guerre.

Refus d'obéissance et mutineries

De nombreux actes collectifs d'indiscipline commencent dès le lendemain, 17 avril, et se poursuivent jusqu'en juin, avant de s'apaiser. Les soldats, épuisés, demandent avant tout que cessent les attaques inutiles, et réclament l'augmentation du rythme des permissions*. C'est un nouveau commandant en chef qui devra rétablir l'ordre, car Nivelle est à son tour écarté le 15 mai, hâtivement remplacé par le général Philippe Pétain. Celui-ci arrête les attaques offensives, limite et modère les condamnations prononcées contre les révoltés, rétablit et améliore les permissions. Dans le même temps, il s'intéresse aux conditions de vie des troupes et à leur alimentation. Ainsi, les hommes ont l'impression d'être écoutés et mieux respectés. Progressivement, le moral revient.

Dès son arrivée au commandement, le général Pétain arrête les offensives et va à la rencontre des troupes.

Pendant la semaine qui précède la bataille du 16 avril 1917, le temps est épouvantable, ce qui accroît les souffrances des soldats.

Une armée en convalescence

Dès son arrivée, Pétain comprend qu'il ne peut promettre n'importe quoi, comme l'a fait imprudemment Nivelle. En mettant fin aux attaques, il éteint le principal motif de contestation, mais il doit demander aux Anglais d'être à leur tour agressifs contre les Allemands. Pendant ce temps, il prépare une opération limitée, toujours sur le Chemin des Dames. Prudent, il se donne beaucoup d'artillerie* et fait son maximum pour limiter les pertes. L'attaque, peu meurtrière, est une réussite. Elle est conforme à ses idées : restreindre les offensives en attendant des canons, des chars et l'arrivée des Américains. Depuis le 2 avril 1917, ceux-ci ont en effet rejoint le camp des Alliés *(voir p. 61)*.

Pièce française d'artillerie lourde sur voie ferrée. Les obus peuvent atteindre des objectifs à plus de 30 km.

14 février 1918
La Russie adopte officiellement le calendrier grégorien utilisé dans tout l'Occident (passant ainsi directement du 31 janvier au 14 février). En fait, le pays n'utilisera vraiment le calendrier grégorien qu'à la fin de l'année 1918.

16 février 1918
La Lituanie proclame son indépendance. Le 24 février, c'est au tour de l'Estonie de le faire. Mais envahie par les Allemands puis par les Russes, elle ne sera vraiment indépendante qu'en février 1920.

Les blessés

En 1859, à la bataille de Solferino, un Suisse, Henri Dunant, est témoin de l'impuissance des médecins militaires, débordés par le nombre et la détresse des blessés. À la suite de cette expérience personnelle, il crée une première société de secours aux blessés militaires. Elle se veut humanitaire et internationale. Elle est à l'origine de la Croix-Rouge fondée en 1864.

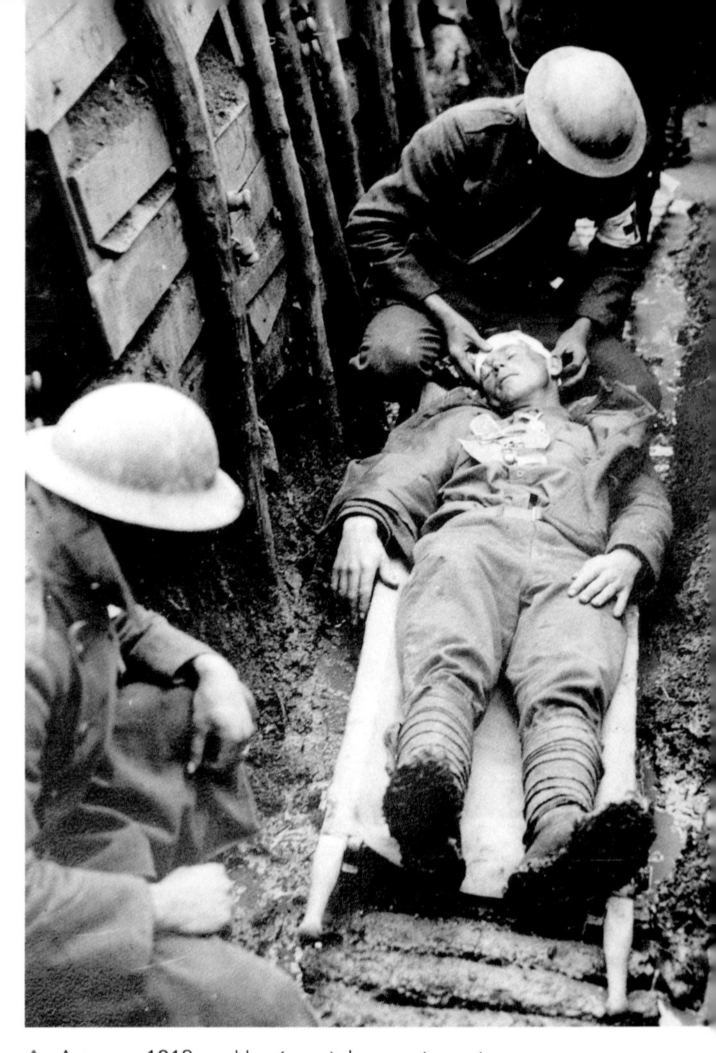

Automne 1918, un blessé reçoit les premiers soins avant d'être brancardé vers le poste de secours.

Les sociétés de secours aux blessés militaires

Après le désastre de 1870 contre les troupes allemandes, le service de santé des armées intègre dans son organisation les différentes associations françaises privées de secours aux blessés militaires. En cas de guerre, elles se mettent à la disposition des autorités. Le personnel, formé au brancardage et aux soins élémentaires, doit assister les religieuses qui, à cette époque, ont le monopole des soins hospitaliers.

Le service de santé des armées

En 1914, le service de santé de l'armée française représente 65 000 hommes dont 5 400 médecins. L'administration sanitaire se partage en deux composantes : les services de l'avant, qui dirigent le personnel affecté aux régiments, aux ambulances et aux hôpitaux de campagne et d'évacuation ; ceux de l'arrière, qui concernent les hôpitaux et les structures médicales de l'intérieur. Le blessé doit être soigné au mieux afin de limiter les séquelles de ses blessures et qu'il puisse, dans la mesure du possible, être renvoyé rapidement au combat.

Ambulance militaire de marque Ford. L'utilisation de l'automobile accélère l'évacuation, ce qui permet de sauver de nombreuses vies.

3 mars 1918
Signature du traité de Brest-Litovsk. Menacé par la guerre civile, Lénine se résout à faire la paix avec l'Allemagne à tout prix. Il reconnaît l'indépendance de la Finlande, des pays Baltes, de la Pologne et de l'Ukraine.

7 mars 1918
Le parti bolchevique devient officiellement le Parti communiste (bolchevique) de Russie.

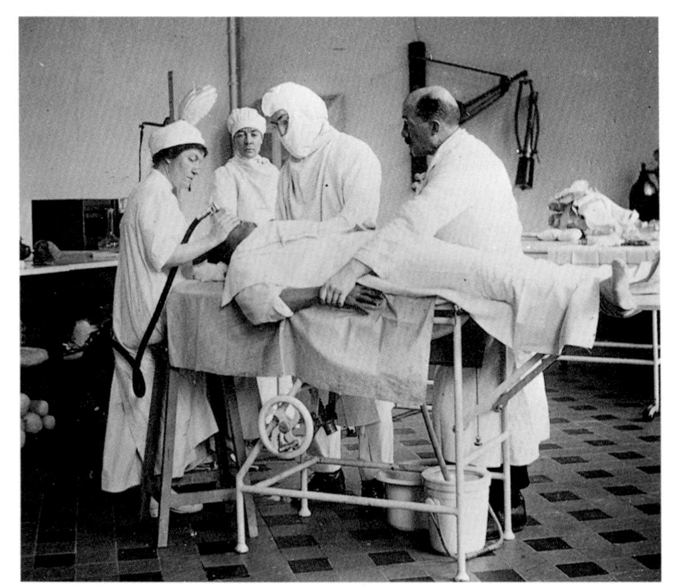

Après avoir reçu les premiers soins dans la zone des armées, les blessés évacués sont opérés dans un hôpital de l'arrière. Là, les infirmières, surnommées les " dames blanches", deviennent de véritables mères pour eux.

Le parcours du blessé

Lorsqu'un soldat est blessé, il doit, s'il le peut, utiliser le pansement qu'il porte sur lui. Si sa blessure le permet, il se dirige vers le poste de secours où il reçoit les premiers soins. Sinon, ses camarades ou des brancardiers le transportent. Dans ce poste, un tri est fait selon la gravité de la blessure et l'espérance de survie. Pour les mourants et les intransportables, c'est la fin du parcours. Les autres sont conduits vers une installation chirurgicale puis, suivant leur état, sont plus ou moins rapidement évacués vers l'arrière.

Un règlement qui se veut efficace

Dans l'armée française, le règlement de 1914 prévoit de prendre en charge le blessé depuis la ligne de feu, de lui assurer des premiers soins sommaires, puis de le diriger vers des formations médicales adaptées. Mais la guerre de mouvement met à mal ce dispositif qui se voulait efficace. Le transport des blessés vers l'arrière dure parfois des jours, et le manque de soins et d'hygiène provoque une aggravation des pertes en raison d'infections et de gangrènes. Les formations sanitaires sauront cependant s'adapter à la stabilisation du front, et se perfectionner au fur et à mesure du déroulement de la guerre.

31 000 infirmières diplômées et des milliers de volontaires secourent les blessés.

LA CROIX-ROUGE FRANÇAISE

En 1914, la Croix-Rouge regroupe trois grandes associations : l'Union des femmes de France, l'Association des dames françaises et la Société de secours aux blessés militaires.
Soit 200 000 personnes qualifiées, dont 31 000 infirmières diplômées. Dès le début du conflit, de nombreuses volontaires venant de toutes les classes sociales rejoignent ces organisations. Elles n'étaient pas préparées à rencontrer cette détresse des corps et des âmes. Mais courageuses et utiles, la plupart sauront accompagner les hommes brisés, tout au long de leur calvaire.

Un bilan terrifiant

Pour certains, la blessure est presque une aubaine, un moyen d'échapper à l'enfer, et l'infirmière, une sorte de doux rêve. Mais des centaines de milliers de blessés restent mutilés. Certains même, totalement défigurés, devenus des "gueules cassées" comme on les appelle, se sentent obligés de se cacher et de vivre retirés du monde, dans des institutions isolées. Au total, 21 millions de soldats de toutes nationalités sont soignés. Pourtant, combien de blessés restés des heures, quelquefois des jours, abandonnés dans le no man's land*, auraient pu être sauvés ? Fiévreux, assoiffés, sentant la vie les abandonner, et attendant des secours qui ne pouvaient pas arriver...

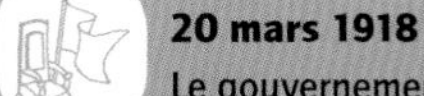

20 mars 1918
Le gouvernement autrichien fait des ouvertures de paix séparées auprès des États-Unis. Mais les conditions américaines empêchent la poursuite des négociations.

29 mars 1918
Un obus du canon à longue portée (improprement appelé "Grosse Bertha") bombarde Paris et atteint l'église Saint-Gervais pendant un office. La voûte s'écroule, faisant 75 morts et 90 blessés.

La guerre en mer

En 1914, toutes les grandes marines militaires disposent de sous-marins. Bien que ce soient des armes nouvelles, leur efficacité est prouvée par les submersibles allemands dès le début du conflit. Au printemps de l'année 1915, en riposte au blocus* maritime mis en place par les Alliés, l'état-major allemand entame une guerre sous-marine.

En 1914, la Grande-Bretagne possède la flotte de guerre la plus puissante au monde.

Garder la maîtrise maritime

Le conflit se poursuivant, les belligérants ont besoin de se procurer sur le marché mondial tout ce qui est nécessaire à l'effort de guerre. La maîtrise des mers devient donc vitale. Pour s'approvisionner, les Alliés doivent protéger leur marine marchande ; et pour y parvenir, il leur faut couler la flotte ennemie. Les Allemands, eux, choisissent la guerre sous-marine. Commencée en 1915, celle-ci occasionne quelques difficultés de ravitaillement aux Alliés. Mais l'émotion internationale causée en mai 1915 par le torpillage d'un paquebot britannique, le *Lusitania*, incite le Kaiser* à arrêter cette campagne, les protestations américaines étant particulièrement vives. C'est donc surtout l'Allemagne, sérieusement étranglée par le blocus maritime franco-anglais *(voir p. 43)*, qui souffre du contrôle maritime allié.

La bataille du Jutland

En 1916, les Anglais – qui pensent avoir la meilleure marine au monde – cherchent à détruire la flotte de haute mer allemande. De leur côté, les Allemands veulent attirer l'adversaire sous le feu de leurs cuirassés. Le 31 mai, au large des Pays-Bas et du Danemark, les deux marines se rencontrent : 100 bâtiments pour l'Allemagne, 150 pour la Grande-Bretagne. Au début, la supériorité du feu est allemande ; mais progressivement, le déploiement de la Navy* se renforce *(photo p. 57)* et provoque la retraite des unités allemandes. Le bilan est lourd : 6 094 Anglais, dont deux amiraux, et 2 500 Allemands sont tués. Le mythe de l'invincibilité de la flotte britannique est ébranlé. Mais la marine allemande de surface n'ose plus sortir de ses ports : elle va de nouveau céder la place aux sous-marins.

5 avril 1918
L'armée japonaise débarque dans le port russe de Vladivostok, en Sibérie orientale, aidée par un corps expéditionnaire américain. Les Alliés, hostiles au régime bolchevique, ont ainsi pour objectif de réactiver le front oriental.

21 avril 1918
Manfred von Richthofen, l'as de l'aviation allemande surnommé le "Baron Rouge", est abattu en Picardie. À 25 ans, il possède le palmarès impressionnant de 80 victoires. Les Britanniques lui rendent hommage en l'enterrant avec les honneurs militaires.

La reprise de la guerre sous-marine

Début 1917, l'état-major allemand décide de mener la guerre sous-marine à outrance. Il pense qu'en coulant mensuellement 600 000 tonnes, les Anglais seront obligés de négocier avant 6 mois. L'Allemagne envisage bien une intervention américaine, mais considère qu'elle serait alors trop tardive. Immédiatement, les pertes britanniques sont alarmantes : 555 000 tonnes en février, 850 000 en avril. Cette entrave à la liberté des mers est enfin jugée inacceptable par Wilson, le président des États-Unis. Il déclare la guerre à l'Allemagne le 2 avril 1917.

La lutte anti-sous-marine s'améliore

Malgré des pertes spectaculaires, les Alliés tiennent bon. Grâce à l'utilisation des bateaux neutres, à la saisie des navires allemands réfugiés aux États-Unis depuis 1914, et à la construction de nouveaux bâtiments – de guerre et marchands –, le trafic maritime n'est pas interrompu. De plus, la lutte anti-sous-marine devient efficace. Le sonar* est inventé, les bâtiments alliés sont obligés de se déplacer en convois escortés par des navires de guerre, et les hydravions embarqués détectent la présence des submersibles. Dans ce cas, des escorteurs* se précipitent et font exploser des grenades sous-marines aux endroits signalés. Le plus souvent, le sous-marin est détruit ou doit faire surface. À partir d'août 1917, les pertes alliées décroissent. À la fin de la guerre, les 300 sous-marins allemands auront coulé plus de 11 millions de tonnes, soit cinq fois la flotte de commerce française.

Hydravion embarqué sur un navire de guerre français.

5 mai 1918
Alors que la guerre n'est pas encore terminée, la première Coupe de France de football a lieu. 48 clubs y participent et, à la surprise générale, l'Olympique de Pantin bat le club de Lyon 3 buts à 0.

mai 1918
La guerre civile fait rage en Russie. Elle oppose le nouveau pouvoir révolutionnaire "rouge" aux "armées blanches". La majeure partie du pays échappe au contrôle du gouvernement de Lénine qui devra attendre novembre 1920 pour les vaincre.

Les sous-marins allemands

L'idée de construire des sous-marins remonte à la fin du XVIIIe siècle, et c'est un siècle plus tard qu'apparaissent des engins militairement utilisables. En 1914, la Grande-Bretagne en aligne 79, la France 72, la Russie 31 et l'Allemagne seulement 25. Mais la marine allemande comble rapidement ce décalage et construit plus de 300 bâtiments jusqu'en 1918.

Destruction au canon d'un navire de commerce par un sous-marin allemand.

Une nouvelle arme de guerre

En 1914, le sous-marin n'est pas considéré en Allemagne comme un élément nécessaire à la réussite du plan Schlieffen *(voir p. 12)*. Pourtant, il prouve rapidement son efficacité. C'est toutefois le blocus* maritime des Alliés qui entraîne sa multiplication et révèle son pouvoir jusque-là insoupçonné. Le développement de la guerre sous-marine donne ensuite un rôle de plus en plus important aux submersibles et transforme leurs missions. Ils s'éloignent davantage des côtes et deviennent des chasseurs à long rayon d'action : pour le cargo, le paquebot ou le navire de guerre ennemis, le danger rôde même en haute mer.

De plus en plus performants

Les progrès techniques révolutionnent en moins de 5 ans l'arme sous-marine. Le nombre de torpilles embarquées passe de 2 à 20 ; des canons de gros calibre sont installés sur le pont. Les batteries électriques qui, en 1914, limitaient les déplacements sous l'eau à parfois moins de 2 heures, autorisent en 1918 des immersions de plus de 24 heures. Les profondeurs de plongée augmentent aussi jusqu'à une cinquantaine de mètres, une prouesse pour l'époque.

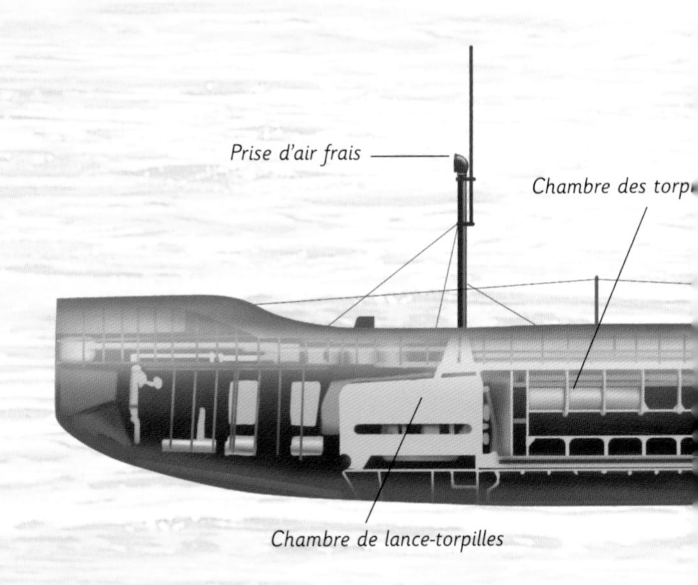

Coupe d'un sous-marin de haute mer allemand, capable de traverser l'Atlantique en 1918.

20 juin 1918
En Autriche-Hongrie, de violentes émeutes et d'importantes grèves troublent le pays. Ces mouvements font suite à de sérieuses difficultés de ravitaillement (diminution des rations de pain, de farine, de pommes de terre, de graisse et de viande).

juillet 1918
Début de l'épidémie de grippe espagnole en France. Touchant le monde entier en 1918 et 1919, elle est la plus désastreuse des épidémies de grippe jamais recensées, tuant plus de 20 millions de personnes.

Des petits et des grands

Les Allemands construisent différents types de sous-marins : des petits pour la protection des côtes ou le mouillage de mines*, jusqu'à de très modernes, capables de traverser l'Atlantique. Corsaires des mers en surface grâce à leurs canons, ou chasseurs à l'affût en plongée, ils sont les principaux responsables des centaines de bâtiments marchands alliés coulés en 1917 et 1918.

Une vie éprouvante

Dans un sous-marin, la promiscuité est permanente et la tension nerveuse de tous les instants. En surface, il faut éviter d'être repéré, de heurter une des nombreuses mines, de tomber en panne. En plongée, c'est l'angoisse de l'immersion. L'atmosphère est rapidement saturée d'émanations d'huile et de vapeurs acides dégagées par les centaines de kilos de batteries électriques, la seule énergie disponible pour naviguer sous l'eau. Dans l'ignorance de ce qui se passe à proximité, les sous-mariniers sont attentifs au moindre bruit. D'autant plus que les Alliés mettent au point un microphone qui décèle et situe les bâtiments en plongée. Leurs grenades sous-marines détruiront ainsi 199 submersibles allemands.

Un sous-marin allemand de retour au port.

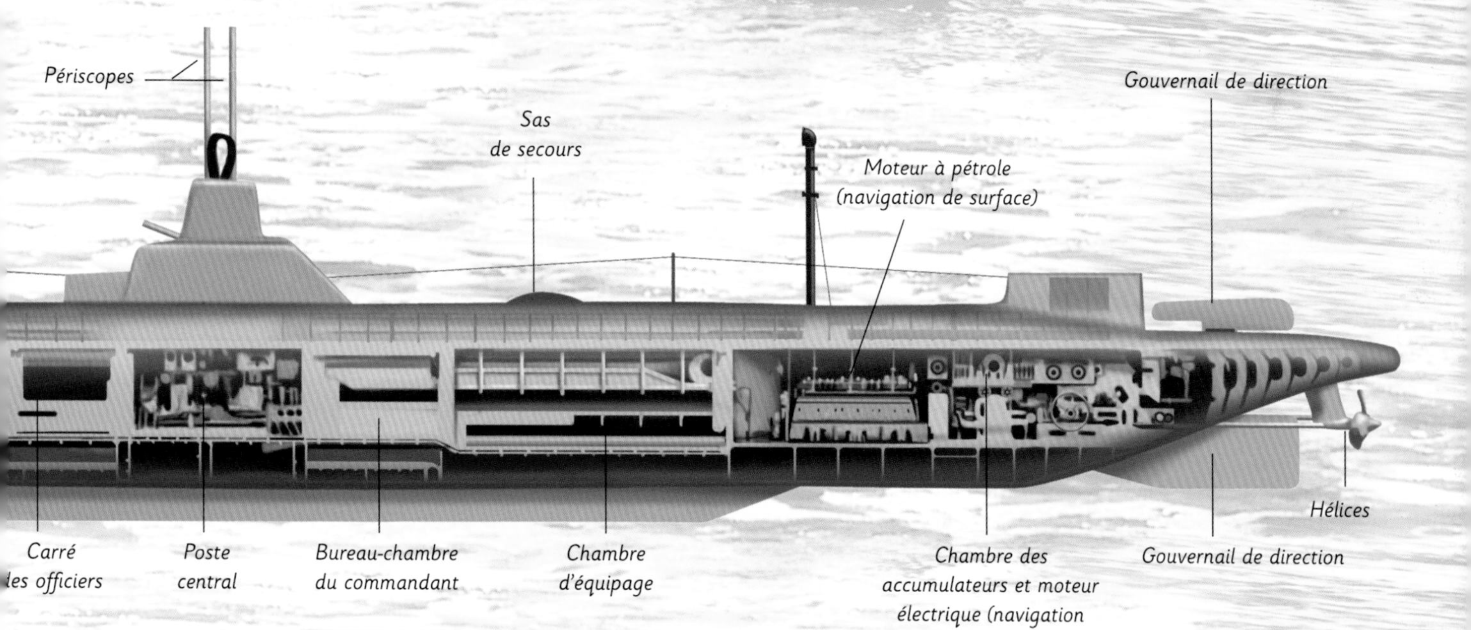

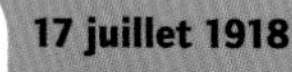

17 juillet 1918
Arrêtée le 2 avril 1917, la famille impériale russe – Nicolas II, son épouse et leurs 5 enfants – est exécutée à Iekaterinbourg sur ordre du soviet de l'Oural.

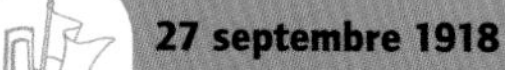

27 septembre 1918
En réponse aux nouvelles propositions de négociations de Vienne, le président des États-Unis W. Wilson fait savoir qu'il ne négociera qu'avec des États à régime parlementaire.

L'Amérique, un allié déterminant

En 1914, personne n'imagine une intervention américaine dans le conflit européen. De fait, les États-Unis restent neutres. Mais cette neutralité est remise en question dès 1915 avec l'amorce de guerre sous-marine lancée par l'Allemagne. En reprenant cette guerre en 1917, le Reich* court le risque de voir l'aide économique que l'Amérique fournit aux Alliés se transformer, par indignation, en une intervention militaire.

Le général John Pershing, commandant en chef de l'armée américaine, débarque en France à Boulogne le 13 juin 1917.

Une nation disparate

En 1914, les États-Unis rassemblent beaucoup d'exilés venus d'Europe, et certaines communautés sont très importantes et influentes. Si une majorité d'Américains sont plutôt favorables à l'Entente*, ceux qui viennent d'Allemagne – et ils sont nombreux – épousent les idées de Berlin. Les Irlandais contestent l'Angleterre, les juifs et les Polonais ne reconnaissent pas la Russie, et les Italiens sont indécis. De ce fait, le président Wilson peut imposer sa conception personnelle de la neutralité américaine.

Une neutralité de moins en moins neutre

Dès 1914, la neutralité américaine est remise en question par l'irritant blocus* allié qui est une entrave au commerce et une atteinte à la liberté de navigation. En 1915, le torpillage d'un paquebot anglais, le *Lusitania*, provoque la mort de 1 200 passagers dont près de 128 citoyens américains, ce qui entraîne de sérieuses protestations aux États-Unis. Mais la neutralité est surtout contournée par le commerce et la finance : alors que le négoce au profit des Alliés ne cesse de croître, il devient presque impossible avec l'Allemagne à cause du blocus. Enfin, l'importance des prêts américains consentis aux Alliés – en échange des achats effectués aux États-Unis – ligote l'Amérique à la cause de l'Entente.

La fin du *Lusitania* en 1915. Le torpillage des grands transatlantiques sera l'une des causes de l'entrée en guerre des États-Unis.

29 septembre 1918
Dans les Balkans, la Bulgarie capitule et signe un armistice* avec les Alliés. Pour l'état-major allemand, cet événement ne fait qu'anticiper un effondrement général des fronts.

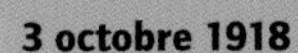

3 octobre 1918
Le Parlement allemand vote sa confiance à un chancelier élu, Max de Bade, un partisan de la paix. Le 4 octobre, celui-ci fait des propositions de paix au président Wilson, qui les refuse.

Le combat pour la liberté des mers

En janvier 1917, les Américains stupéfaits découvrent que les Allemands incitent le Mexique à intervenir militairement contre leur pays. Quelques semaines plus tard, l'Allemagne décide la guerre sous-marine à outrance. L'opinion américaine ne peut que réagir contre ces agressions portant atteinte à son indépendance, à sa grandeur, et qui bafouent ses idéaux démocratiques. Le 2 avril, les États-Unis s'engagent dans la guerre.

Le 2 avril 1917, le président américain Wilson annonce au Sénat sa déclaration de guerre à l'Allemagne.

Un soulagement pour les Alliés

Si le potentiel économique des États-Unis est démesuré, ses forces militaires ne représentent qu'une faible armée de 200 000 volontaires. Pourtant, la conscription* est décrétée et la venue d'une armée américaine en Europe est négociée. Les premiers soldats américains débarquent donc fin juin, commandés par le général Pershing. La propagande aidant, 200 000 sammies* sont en France à la fin de l'année 1917. Ils seront plus de 2 millions en novembre 1918.

Une armée sous-estimée par l'Allemagne

Dès son arrivée, Pershing négocie avec Pétain la place et le rôle de son armée : elle sera progressivement autonome, sous commandement américain, mais équipée en grande partie de matériel français. Elle doit organiser ses transports jusqu'en Europe, ainsi que ses voies de communication depuis les ports français jusqu'à sa zone de front. Rapidement, elle construit de vastes dépôts, des magasins, des gares, des camps d'instruction. Et à l'automne 1917, elle se positionne en Lorraine. L'arrivée des Américains est une réponse précieuse à la crise des effectifs alliés.

Arrivée des premiers contingents américains dans un port français.

28 octobre 1918
La Tchécoslovaquie proclame son indépendance. Cette nouvelle république regroupe la Bohême, la Moravie et la Slovaquie, qui faisaient jusqu'alors partie de l'empire austro-hongrois.

30 octobre 1918
Les troupes turques capitulent sans condition.
L'armistice signé avec les Alliés signifie la fin de l'empire ottoman.

Vladimir Ilitch Oulianov, dit Lénine.

Révolutions en Russie

Après 29 mois de guerre, l'ampleur des pertes, les sévères restrictions, la hausse des prix et le manque de solutions amplifient les lassitudes et sapent le moral des populations. En Russie, la situation est tragique. L'élan patriotique de 1914 est oublié. L'incompétence de l'État et les abus minent le régime tsariste. Pour beaucoup, il est temps de briser l'autocratie*, peut-être même d'écarter le tsar.

La révolution de Février

Fin février 1917 (début mars en France, car la Russie utilise le calendrier julien jusqu'en 1918, en retard de 13 jours sur le calendrier grégorien occidental). L'hiver est particulièrement rude lorsque les autorités de Petrograd (nom donné à Saint-Pétersbourg en 1914) décident de rationner la farine et le pain. Aussitôt, des manifestations éclatent. La répression est meurtrière, mais très vite la troupe fraternise avec le peuple. L'insurrection s'étend dans le pays, provoquant l'abdication du tsar. Un gouvernement provisoire est installé, qui entend continuer la lutte aux côtés des Alliés. Mais des conseils révolutionnaires, les soviets, se multiplient dans le pays. Soutenus par le peuple, ils souhaitent établir la paix.

Réunion du soviet de Petrograd pendant la révolution de Février.

Affiche de guerre du gouvernement provisoire pour l'emprunt de la Liberté.

Une lutte pour le pouvoir

Conduits par Lénine, les révolutionnaires les plus virulents, appelés bolcheviks, ont un programme qui flatte les masses : « La paix, la terre aux paysans, les usines aux ouvriers, la liberté pour les peuples. » Pour le gouvernement provisoire, il faut s'opposer à Lénine ; mais comment le faire alors que l'armée n'est plus apte à combattre et que la situation intérieure ne cesse de se dégrader ? En juillet, des soulèvements bolcheviques sont brutalement brisés et Lénine doit s'enfuir en Finlande. En septembre, une tentative de coup d'État militaire échoue, mais les bolcheviks prennent le contrôle des soviets des principales villes.

1er novembre 1918
Début d'une révolte des marins allemands dans le port de Kiel. Refusant de retourner au combat, ils se mutinent* et entraînent les ouvriers de la ville. La contagion révolutionnaire se répand. Le pays bascule dans l'anarchie et la guerre civile.

3 novembre 1918
L'armistice est signé entre l'Autriche et les Alliés à Villa Giusti, en Italie, près de la frontière autrichienne. L'armistice avec la Hongrie est signé le 13 novembre à Belgrade.

Le 25 octobre (7 novembre), les troupes bolcheviques attaquent le palais d'Hiver de Petrograd, siège du gouvernement provisoire.

LE RETOUR DE LÉNINE

En février 1917, Lénine est réfugié en Suisse. Le gouvernement allemand lui donne alors la possibilité de rejoindre la Russie, en traversant le Reich* dans un wagon scellé lui interdisant d'avoir des contacts avec l'extérieur. Berlin a en effet tout intérêt à entretenir le chaos révolutionnaire chez son ennemi.

La révolution d'Octobre

Dans un pays en plein désarroi, les bolcheviks fortifient leur influence. Début octobre, Lénine, qui est revenu de Finlande, fait voter par le comité central du parti révolutionnaire le principe de l'insurrection. Le 24 octobre (6 novembre en France), les gardes rouges bolcheviques et les marins de la Baltique occupent Petrograd ; le gouvernement est renversé. Un Conseil des commissaires du peuple, présidé par Lénine, est installé. Ses premiers décrets portent sur des négociations de paix immédiate et sur l'abolition de la grande propriété foncière.

La paix séparée de Brest-Litovsk

Les négociations pour la paix commencent. Mais Lénine pense que la révolution va s'étendre aux autres nations en guerre, et particulièrement en Allemagne. Il fait donc traîner les discussions. Excédés, les Allemands entament une offensive qui renverse les forces russes le 18 février 1918. Lénine cède et, le 3 mars, un traité est signé à Brest-Litovsk. Il est rigoureux : la Russie est amputée entre autres de la Finlande, des pays Baltes, de la Pologne, de l'Ukraine et de quelques autres portions de territoire. Mais Lénine a besoin de répit pour asseoir son pouvoir.

La paix à tout prix

Pendant les semaines qui suivent, Lénine s'attache à briser toute opposition. Il fortifie son pouvoir par la constitution de milices ouvrières et de tribunaux populaires, par la nationalisation des banques, la reconnaissance des différentes nationalités de l'empire russe, la création d'une police politique et d'une Armée rouge. Mais la paix reste sa priorité et il entame des pourparlers avec les Allemands et les Austro-Hongrois. Malgré les accords alliés interdisant une paix séparée, un armistice* est signé le 15 décembre 1917 pour 4 semaines renouvelables.

Le 15 décembre 1917, les bolcheviks signent un armistice séparé.

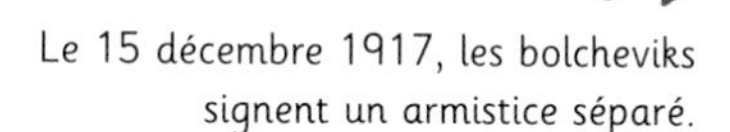

9 novembre 1918
Devant l'ampleur du mouvement révolutionnaire et les pressions politiques, l'empereur allemand Guillaume II abdique et s'enfuit aux Pays-Bas. Le chancelier Max de Bade démissionne. Le socialiste Scheidemann proclame la République.

11 novembre 1918
Sous la pression révolutionnaire, l'empereur d'Autriche-Hongrie Charles Ier (qui a quitté le pays le 31 octobre) renonce aux affaires d'État. Le lendemain, la république d'Autriche est proclamée. Le 16 novembre, celle de Hongrie naît à son tour.

Offensives allemandes au printemps 1918

En mars 1918, les Allemands rompent le front allié. La guerre de mouvement reprend.

L'année 1917 se termine par deux désastres pour les Alliés : la *fulgurante* percée du *front* italien par les Allemands et les Autrichiens à Caporetto, et le désengagement russe. Ne sont-ils pas annonciateurs d'autres mouvements révolutionnaires contagieux ? En France, Clemenceau, un vieil homme contesté mais énergique, devient président du Conseil en novembre. Il n'a qu'un programme : *faire* la guerre, rien que la guerre.

L'heure de Hindenburg

La paix séparée obtenue avec la Russie offre à Berlin une réelle opportunité de victoire militaire sur le front occidental. En effet, le général Hindenburg dispose provisoirement de la supériorité numérique. Pour l'Allemagne, un peu plus étranglée chaque jour par le blocus* maritime, il est vital de porter l'attaque décisive avant que l'aide américaine ne soit déterminante.

Le coup de tonnerre allemand éclate le 21 mars 1918 en Picardie. Le front allié est enfoncé ; les troupes d'assaut allemandes, qui progressent rapidement, commencent à dissocier les armées britanniques et françaises. Le déferlement est surprenant, Paris est de nouveau menacé. Il faut réagir. Clemenceau impose la nomination du général Foch comme coordinateur des armées alliées en France. L'avance allemande est ralentie, puis contenue au début du mois d'avril.

LA "GROSSE BERTHA" BOMBARDE PARIS

Le 23 mars 1918 au matin, de puissantes explosions secouent la capitale. Pourtant, aucune sirène n'a alerté la population, aucun avion n'a été signalé. Jusqu'alors, les bombardements n'étaient effectués que par avion, les canons ne pouvant tirer à plus de 35 km de distance. Or, le front se trouve à plus de 100 km. Malgré la confusion, il faut se rendre à l'évidence : un canon géant tire sur Paris. En réalité, il y en a quatre. Situés à plus de 100 km de la capitale, ils envoient 367 obus de mars à août, qui provoquent la mort de 256 personnes et en blessent 620. Ces canons sont immédiatement, mais abusivement, appelés "Grosse Bertha" par les Parisiens.

11 novembre 1918
La Première Guerre mondiale prend fin avec la signature de l'armistice* de Rethondes, dans le wagon spécial du généralissime* Foch, en forêt de Compiègne.

11 novembre 1918
À la faveur de la défaite de l'Allemagne et de l'Autriche-Hongrie, la Pologne recouvre son indépendance.

D'importants succès allemands, mais...

Les Allemands ont progressé de 60 km. Les pertes alliées dépassent 300 000 hommes, dont 100 000 prisonniers, et Hindenburg vient de prouver que la guerre de mouvement est encore possible. Il récidive le 9 avril dans les Flandres avec une nouvelle attaque coup-de-poing. Une autre suit le 27 mai sur le Chemin des Dames. Chaque fois le front est enfoncé, mais chaque fois l'offensive est contenue. Après tant d'efforts, les troupes allemandes sont épuisées. Le 15 juillet, en Champagne, un ultime assaut dépasse Château-Thierry. Mais la contre-offensive de Foch se transforme en deuxième victoire de la Marne, et met définitivement fin aux espérances allemandes.

L'initiative revient aux Alliés

Foch, nommé le 26 mars commandant en chef des armées alliées, est élevé début août à la dignité de maréchal de France. Il dispose à présent de centaines de chars, son aviation maîtrise le ciel, et l'armée américaine se renforce de 250 000 hommes chaque mois. Il est temps pour lui de réagir, mais il n'envisage pas pour autant d'opération d'envergure avant 1919. Pourtant, le 8 août 1918, il surprend si soudainement l'ennemi que cette date est considérée comme le "jour de deuil" de l'armée allemande.

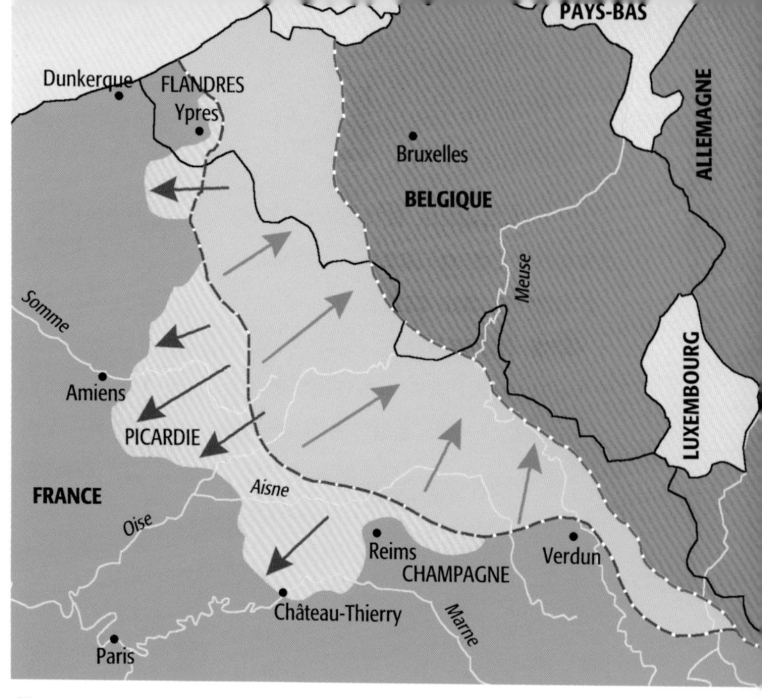

Front ouest en 1918

La marche vers le Rhin

Pour la première fois, les soldats allemands manifestent des signes de lassitude et même de défaillance. De son côté, Foch parvient à maîtriser ce que Hindenburg n'a pas réussi au printemps : à partir du 26 septembre, il attaque massivement et simultanément sur plusieurs points du front. Cette pression ne provoque pas la déroute ennemie, mais elle laisse présager au commandement suprême allemand qu'une défaite militaire est maintenant probable. Il lui faut donc préparer les politiques à négocier avant que ne survienne l'irréparable.

Un canon de 37 mm utilisé par des soldats américains. La présence des sammies* est maintenant de plus en plus importante.

13 novembre 1918
À la suite de la défaite des Allemands, la Russie communiste ne reconnaît plus le traité de Brest-Litovsk qu'elle avait signé avec eux le 3 mars 1918. Ce traité lui imposait en effet des conditions de paix très dures.

18 novembre 1918
Après la défaite allemande, la Lettonie - cédée par la Russie à l'Allemagne au traité de Brest-Litovsk - prononce son indépendance.

Le char d'assaut

L'idée d'un véhicule chenillé et armé avait déjà été évoquée avant la guerre, mais aucun état-major n'avait été séduit. L'époque était encore au crottin, pas au pétrole. Après quelques semaines de campagne, des hommes réussissent pourtant à convaincre les autorités de l'intérêt d'un habitacle cuirassé installé sur un tracteur à chenilles. D'autant que la guerre de tranchées révèle chaque jour un peu plus les limites des moyens utilisés.

Les Mark I anglais

En Angleterre comme en France, les études commencent dès le début 1915. En 1916, les Britanniques sont les premiers à fabriquer un char imposant de 8 m de long et pesant plus de 30 tonnes : le Mark I. Il est surnommé tank - "réservoir" en anglais - pour éviter les indiscrétions et tromper les espions. Une soixantaine de ces chars sont engagés, trop prématurément, en septembre 1916 dans la Somme. Leur apparition crée la surprise mais, insuffisamment préparés, ils ne provoquent pas le succès attendu *(voir p. 49)*.

Les premiers chars français

En France, c'est le colonel Estienne qui défend avec ténacité l'idée de cette artillerie* spéciale. Il faut attendre 1917 pour que les premiers chars français apparaissent sur le champ de bataille. Deux modèles différents participent le 16 avril à l'offensive du Chemin des Dames *(voir p. 52)* : le char Schneider de 14 tonnes et le Saint-Chamond de 23 tonnes *(ci-contre)*. Mais cette première apparition de l'arme blindée française se révèle un véritable échec. Les pannes, les incendies et l'artillerie allemande déciment les formations. Le soir de la bataille, sur 132 chars engagés, 76 épaves gisent entre les lignes. Devant ce résultat médiocre, les Allemands acquièrent la conviction du peu d'avenir de l'artillerie d'assaut.

21 novembre 1918
Le roi des Belges Albert Ier fait une entrée triomphale à Bruxelles. Un gouvernement est constitué après qu'il a annoncé au début du mois d'importantes réformes : suffrage universel masculin, mesures sociales, liberté syndicale...

1er décembre 1918
Naissance de la "grande" Roumanie dont le territoire s'agrandit grâce à la dislocation de l'empire austro-hongrois, et à l'affaiblissement de la Russie et de la Turquie.
Le 1er décembre devient fête nationale de la Roumanie.

Des chars fragiles et peu maniables

Ces premiers chars sont imposants et difficiles à diriger. Leur mécanique est fragile, ils sont très bruyants et avancent lentement - à moins de 3 km/h - sur les terrains bouleversés. Ils s'empêtrent dans les réseaux de barbelés, s'enlisent dans les sols boueux et saccagés, ou basculent dans les tranchées trop larges. Pour les équipages, les conditions de vie sont très pénibles à cause du bruit, de la chaleur, des relents d'huile, des gaz d'échappement et surtout de la vulnérabilité de ces engins, dont les blindages épais seulement de 2 à 3 cm, ne résistent pas aux obus, ni même aux gros éclats.

Le char allemand

Les Allemands ne prennent pas au sérieux l'apparition du char d'assaut. Ils utilisent parfois quelques chars anglais qu'ils récupèrent, abandonnés ou en panne après la bataille, mais leur haut commandement n'a pas conscience de l'importance de cette innovation. Toutefois, l'Allemagne conçoit et fabrique en 1918 une quarantaine d'exemplaires d'un monstrueux engin blindé de plus de 40 tonnes, le A7 Wagen ou A7V *(ci-contre, capturé par des Néo-Zélandais)*, dont l'équipage est composé de 18 hommes.

Les chars légers Renault

Avec l'arrivée au pouvoir de Clemenceau, et malgré l'opposition du sous-secrétariat d'État à l'Armement, Estienne impose ses idées : celles d'un char plus léger, utilisé en nombre et massivement. C'est l'industriel Louis Renault qui étudie et conçoit un modèle d'environ 7 tonnes. Petit, doté d'un moteur de 35 CV, d'une tourelle pivotante armée d'une mitrailleuse ou d'un petit canon de 37 mm, il se suffit d'un équipage de 2 hommes. L'arrivée et l'utilisation de ce petit char contribueront à la victoire alliée plus tôt que prévu. En novembre 1918, plus de 3000 Renault FT 17 ont déjà été livrés, principalement aux armées françaises et américaines.

1er décembre 1918
Les territoires des Serbes, Croates, Bosniaques, Slovènes et Monténégrins sont réunis en un seul royaume : le royaume serbe, croate, slovène (appelé Yougoslavie en 1929). Il regroupe 3 religions, 2 alphabets, 4 langues et encore plus de nationalités.

10 décembre 1918
Le prix Nobel de chimie est attribué à l'Allemand Fritz Habert, qui a beaucoup travaillé sur les gaz de combat.

À partir du début de 1918, des grèves et des mouvements sociaux de plus en plus importants se propagent en Allemagne.

L'effondrement des empires centraux

Contraint de s'engager dans la guerre, Wilson n'a pas pour autant épousé toutes les théories alliées. Début 1918, il fait connaître sa vision du monde à venir dans une déclaration en 14 points, sorte d'idéal démocratique. En octobre 1918, ne souhaitant pas traiter avec la France et l'Angleterre, l'Allemagne tente de négocier la paix avec les États-Unis sur la base de ces 14 points.

À Berlin, l'inquiétude est sérieuse

Les armées allemandes qui se replient se rapprochent du Rhin. Pétain prépare une grande offensive en Lorraine qui risque de transformer ce recul en véritable débâcle. La situation intérieure de l'Allemagne est également grave : le peuple réclame la paix, la révolution gronde et la monarchie est en danger. Le 4 octobre, alors que le front dans les Balkans s'effondre à son tour, le nouveau gouvernement essaie de présenter aux seuls États-Unis des offres de paix.

L'heure de l'armée d'Orient

En Macédoine, les forces alliées commandées par le général français Franchet d'Esperey se ruent sur les lignes bulgares le 15 septembre 1918. Français, Serbes, Britanniques, Grecs et Italiens défont les armées bulgares et allemandes. Le 29 septembre, la Bulgarie est contrainte de se rendre. Bientôt le Danube est atteint, et le 1er novembre, les Serbes se retrouvent à Belgrade. L'armée d'Orient, longtemps victime de son éloignement, est maintenant en mesure de menacer l'Allemagne à revers. Berlin est l'enjeu.

Attaques anglaises en Palestine et Mésopotamie

Également commencées en septembre et associées aux forces arabes, des offensives anglo-indiennes bousculent les armées turques. Les troupes alliées s'emparent de Damas le 30 septembre, puis d'Alep le 25 octobre. Menacés au sud mais aussi à l'ouest car l'armée d'Orient approche de Constantinople, les Turcs demandent un armistice*. Considérant que le Moyen-Orient doit rester dans leur zone d'influence, les Britanniques manœuvrent pour traiter seuls avec eux.

Sur le front d'Orient, les Anglais ne cessent de progresser vers Constantinople et de faire des prisonniers turcs.

5-13 janvier 1919
Les spartakistes, un mouvement révolutionnaire proche des bolcheviks russes, déclenchent une grève générale à Berlin. L'insurrection est écrasée par les troupes gouvernementales.

15 janvier 1919
Rosa Luxemburg et Karl Liebknecht – membres de la ligue spartakiste qui ont participé à la fondation du Parti communiste allemand le 31 décembre 1918 – sont assassinés par une milice gouvernementale antirévolutionnaire.

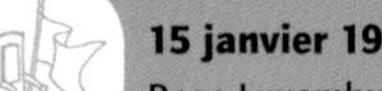

L'Autriche-Hongrie sombre à son tour

Le 24 octobre, l'armée italienne passe aussi à l'offensive et remporte une importante victoire à Vittorio-Veneto. Minée par les différents courants nationalistes*, l'armée austro-hongroise se désagrège. La révolution gronde à Budapest comme à Vienne, et les minorités slaves du Sud - roumaines, tchèques ou hongroises - proclament leur indépendance. L'empereur Charles signe l'armistice le 3 novembre. L'empire austro-hongrois est mort, l'Allemagne se retrouve désormais seule dans la lutte.

LES 14 POINTS DU PRÉSIDENT WILSON

Wilson préconise la suppression de la diplomatie secrète, la liberté des mers et celle du commerce international, la limitation des armements, le règlement des questions coloniales* et la création d'une Société des Nations* chargée de maintenir la paix mondiale. Concernant les territoires occupés, le président américain demande l'évacuation allemande de la Russie et de la Belgique, et le retour de l'Alsace-Lorraine à la France. Enfin, plusieurs de ses points se rapportent aux pays d'Europe centrale et à la liberté des peuples à disposer d'eux-mêmes.

Le 11 novembre 1918, la délégation allemande se présente devant le maréchal Foch, dans un wagon placé en forêt de Compiègne. Avec résignation, elle signe les dures conditions de l'armistice.

La fin des hostilités

En Allemagne, les marins se mutinent* tandis que des conseils d'ouvriers et de soldats se forment. L'Entente* prévient que l'armistice ne sera pas négocié : les vainqueurs imposeront toutes leurs conditions. Le 7 novembre, les parlementaires allemands se présentent devant les lignes pour demander la suspension des combats. À Berlin, la situation continue de se dégrader : le 9, l'empereur Guillaume II abdique et se réfugie aux Pays-Bas. Le 11 novembre à 5 h du matin, l'armistice est signé. Il prend effet à 11 h.

À Paris comme dans toutes les capitales alliées, civils et militaires en liesse envahissent les rues à l'annonce de la victoire.

16 janvier 1919
Les États-Unis votent une loi interdisant la fabrication, le transport, l'importation, l'exportation et la vente de toutes boissons alcoolisées, y compris bière et cidre, sur le territoire des États-Unis. Cette loi prendra effet en janvier 1920.

18 janvier 1919
Ouverture à Paris des travaux préparatoires à la conférence sur la paix. Le traité sera signé le 28 juin 1919 à Versailles.

Une paix à gagner

Les soldats français défilent à Strasbourg, Mulhouse et Metz. Le roi des Belges retrouve son palais. Belgrade pavoise. Bucarest exulte. Les Italiens regardent vers Trieste, encore autrichienne. Polonais, Slovaques, Tchèques, Slovènes et Croates découvrent la liberté. Après ce premier Noël de paix, les populations de toute l'Europe attendent beaucoup du traité que les dirigeants négocient à Versailles.

L'Allemagne, absente des pourparlers

L'armistice* n'est pas la fin de la guerre, mais seulement une trêve. Pour que l'Allemagne ne puisse pas reprendre les armes, elle doit livrer immédiatement une grande partie de son matériel militaire et de transport, puis ses sous-marins. Toutes ses troupes doivent évacuer les territoires envahis, ainsi que la rive gauche du Rhin. Dans l'incapacité militaire et politique de reprendre le combat, Berlin attend d'être invité à la table des pourparlers. Mais les vainqueurs ont décidé de négocier sans la présence des vaincus.

Des intérêts très différents

Vingt-sept nations sont présentes à Versailles, mais les véritables négociations se tiennent au sein d'un conseil restreint, composé du président des États-Unis, des présidents du Conseil français et italien, et du Premier ministre britannique. Wilson, l'idéaliste, rêve d'un monde de paix et défend la création d'une Société des Nations*. Clemenceau veut une Allemagne démilitarisée et qui doit réparer les dégâts causés. Lloyd George soutient l'équilibre en Europe : il veut ménager le vaincu sans esprit de vengeance. Orlando, lui, ne défend que les intérêts italiens.

25 janvier 1919
André Citroën annonce la transformation de son usine parisienne de munitions et de fabrication d'obus en usine de fabrication d'automobiles en grande quantité. Il affirme qu'elle produira 100 voitures par jour d'un même modèle.

25 janvier 1919
Les Alliés approuvent la mise en place d'une Société des Nations, d'après le plan en 14 points du président américain Wilson.
Le 28 avril, Genève est désigné pour accueillir cette organisation dont le but est le maintien de la paix.

La signature du traité de Versailles

En mai 1919, le traité est communiqué à l'Allemagne. Elle a 15 jours pour exprimer ses remarques. Ce texte est refusé, mais le 15 juin, les Alliés annoncent au gouvernement de Weimar* qu'il a 5 jours pour l'accepter, sinon le maréchal Foch commencera une offensive vers Berlin. Contraints, les Allemands font savoir qu'ils signeront le traité. Le 28 juin, dans la galerie des Glaces du château de Versailles, le traité de paix est paraphé par la délégation allemande et tous les représentants des nations alliées.

Les clauses du traité

Une clause du traité confirme le retour de l'Alsace et de la Moselle à la France. L'Allemagne est également privée de toutes ses colonies* qui sont redistribuées principalement entre l'Angleterre et la France. Son armée est limitée à 100 000 hommes. Surtout, une commission de réparation est nommée : elle doit établir le montant que le vaincu aura à payer. En attendant, et pour garantir l'exécution du traité, les Alliés occupent la rive gauche du Rhin. Enfin, le traité – jugé trop sévère par certains et trop clément par d'autres – reconnaît la responsabilité de l'Allemagne dans le déclenchement de la guerre.

Les autres traités

Reçu comme un diktat* par la population allemande, le traité de Versailles n'est pas le seul à être signé. À partir de l'automne 1919, l'Autriche à Saint-Germain-en-Laye, la Bulgarie à Neuilly, la Hongrie à Trianon, et la Turquie à Sèvres se voient imposer les décisions des vainqueurs par des traités séparés. Ils concernent avant tout des remodelages territoriaux qui, suivant les idées de Wilson, tiennent compte du principe du droit des peuples à disposer d'eux-mêmes. Pourtant, au même moment, le Sénat américain refuse de ratifier le traité de Versailles.

L'Europe après la guerre

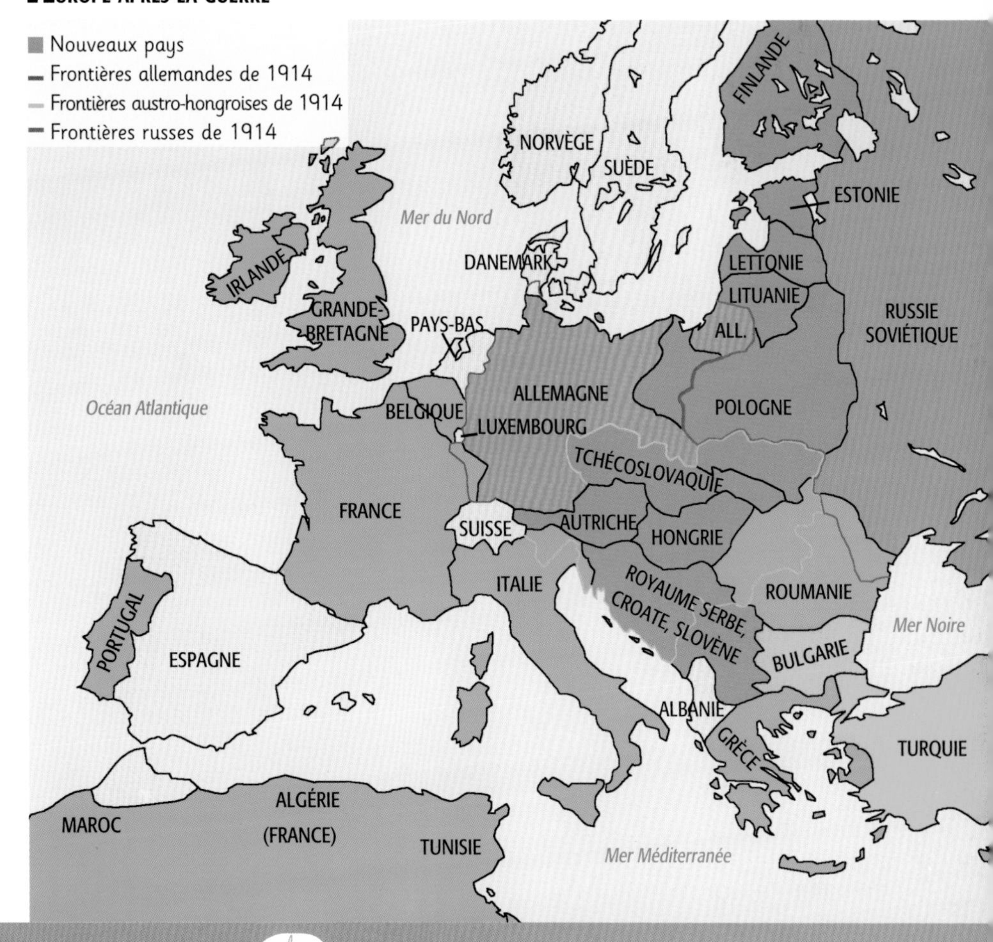

Le 12 mai 1919, les députés allemands s'indignent contre les termes du traité de Versailles proposé par les Alliés.

8 février 1919
Première liaison commerciale aérienne entre Paris et Londres, effectuée à bord d'un appareil Farman Goliath avec 11 passagers à son bord.

11 février 1919
L'Assemblée réunie dans la ville de Weimar élit Ebert premier président allemand. Elle vote en juillet la constitution de la République de Weimar, qui crée une république démocratique et parlementaire, composée de 17 Länder (États autonomes).

La victoire… et ensuite ?

En 1914, l'Europe dominait le monde. En 1919, elle sort de la guerre exsangue. Trois empires se sont effondrés : l'Autriche-Hongrie et la Turquie sont partagées en de nouveaux pays, la Russie des bolcheviks s'oppose à la Russie blanche*. L'Allemagne est au bord de la guerre civile. La guerre mondiale a changé l'ordre du monde.

Un bilan terrifiant

Avant tout, le bilan humain est épouvantable. Près de 10 millions de soldats sont morts. La Russie comme l'Allemagne comptent 2 millions de tués, la Grande-Bretagne presque 750 000 et les États-Unis 116 000. Pour la France qui pleure 1 420 000 des siens, deux hommes sur dix de 20 à 45 ans sont morts, trois sont amoindris, et un reste à la charge de la nation (c'est-à-dire pensionné). À ces victimes militaires, il faut ajouter les innombrables victimes civiles des privations, de l'occupation et des faits de guerre, mais aussi celles du génocide arménien, et celles de la grande épidémie de grippe espagnole qui vient de faire des millions de morts.

Un des milliers de petits cimetières qui jalonnent les champs de bataille.

Des blessés par millions

Les États doivent soigner, aider, appareiller, pensionner plus de 20 millions de blessés, dont 13 millions pour les pays alliés. La France en compte à elle seule 3,5 millions, plus ou moins gravement atteints, à qui il faut souvent trouver un emploi adapté. Et parmi eux, 300 000 mutilés qui ont besoin d'être assistés et dédommagés. Mais d'autres plaies existent. Celles, douloureuses mais moins voyantes, de l'épreuve du deuil pour 4 millions de veuves, dont 600 000 en France, et autant d'orphelins. C'est une charge financière considérable que les gouvernements vont devoir poursuivre pendant plus d'un demi-siècle.

Un mutilé de guerre appareillé réapprend à se servir de ses mains.

23 mars 1919
Mussolini, ancien journaliste, fonde le mouvement fasciste italien. Ce groupe paramilitaire, composé essentiellement d'anciens combattants de la Première Guerre mondiale, veut fédérer les mécontents du régime libéral et parlementaire italien.

19-21 avril 1919
La flotte française stationnant en mer Noire, face à Sébastopol – dans le but de contrer l'avancée de l'Armée rouge –, est confrontée à une mutinerie*. Les marins exigent l'arrêt de la guerre et leur retour en France. La révolte est durement réprimée.

Des régions dévastées

La guerre terminée, les populations évacuées cherchent à revenir chez elles. Ce qu'elles découvrent est inimaginable. Car profondément blessée dans sa chair, la France l'est également dans sa terre. Des centaines de villages n'existent plus. Le cheptel est décimé. De la mer du Nord à la Suisse, sur 800 km de long et 20 km de large, les forêts ont disparu et les terres cultivables sont dévastées, encombrées de ferrailles, d'engins dangereux, mais aussi de centaines de milliers de corps à relever et à inhumer respectueusement.

En France, sur 800 km de long et 20 km de large, c'est partout la même désolation.

Ce qui reste d'une filature après le départ des troupes allemandes.

Industries à reconstruire

En France, la guerre a particulièrement dévasté des régions très industrielles. Dans les départements occupés, les Allemands ont pratiqué pendant 4 années une politique outrancière d'exploitation des ressources économiques. Elle s'est transformée en un véritable pillage. Pire : avant de se replier, les Allemands ont détruit ce qu'ils n'avaient pas déménagé chez eux. Les fragiles métiers à tisser sont brisés, les mines de charbon et de fer sont inondées, les hauts-fourneaux* sont saccagés et les bâtiments sidérurgiques dynamités. Tout cela concerne presque 100 % du potentiel industriel du Nord.

Mais « l'Allemagne paiera »

La commission de réparation travaille à établir le montant des dommages *(voir p. 71)*. Chacun pense que l'Allemagne va payer. Mais comment demander des sommes astronomiques à un pays écrasé par la défaite ? L'Allemagne, fragilisée, n'est pas en mesure de payer une dette trop importante pour son économie. La paix des vainqueurs n'est pas vraiment une paix de réconciliation. De l'autre côté des mers, les États-Unis mais aussi le Japon sont en pleine prospérité, et les pays colonisés* croient que leur participation à la grande tuerie va leur ouvrir les portes de l'indépendance. Alors, si beaucoup de combattants pensent qu'ils viennent de connaître la dernière guerre, la "Der des ders" comme ils la nomment, d'autres rêvent déjà de vengeance et préparent un autre ordre européen.

Dans Berlin affamé, tout est possible pour essayer de trouver de quoi survivre.

23 avril 1919
À Paris, le Parlement vote une loi sur la journée légale de travail de 8 h sans réduction de salaire. Son application, lente, ne s'achèvera qu'en 1925.

14-15 juin 1919
Premier vol transatlantique réussi sans escale. Le pilote et son navigateur, tous deux anglais, mettent 16 h et 27 min pour cette traversée mouvementée en raison de fortes turbulences.

Des lieux de mémoire

Si la Première Guerre mondiale a beaucoup influencé les arts, la littérature et jusqu'à la philosophie et la psychiatrie dans les années qui suivent le conflit, la reconstruction est à peine commencée que déjà les nations ressentent le besoin d'honorer les disparus et de sacraliser la grandeur du sacrifice consenti. Un culte des morts s'impose, et le 11 novembre devient un jour férié et consacré au recueillement.

L'Arc de Triomphe

Le 14 juillet 1919, la victoire et la paix sont célébrées fastueusement à Paris. Un grandiose défilé militaire passe, pour la dernière fois, sous l'Arc de Triomphe. En 1920, sous la pression populaire, les restes d'un soldat inconnu français sont inhumés sous l'Arc de Triomphe. En 1922, les anciens combattants se battent pour imposer le 11 novembre comme fête nationale. En 1923, une nouvelle initiative renforce le culte laïc et républicain : désormais, une flamme du souvenir est ranimée chaque jour sur la tombe du soldat inconnu. Depuis, cette dernière est devenue le haut lieu de la mémoire nationale et une cérémonie s'y déroule tous les 11 novembre *(ci-contre)*.

La clairière de l'armistice de Rethondes

Cet autre lieu commence à être aménagé dès 1922. Puis il reçoit en 1927 le wagon où, comme l'indique une inscription : « Le 11 novembre, succomba le criminel orgueil de l'empire allemand vaincu par les pays libres qu'il prétendait asservir ». C'est dans cette même clairière qu'Hitler imposera la signature de l'armistice*, le 22 juin 1940. Autant Foch a voulu en 1918 que cela se fasse en forêt de Compiègne, loin de la foule, dans le silence et la dignité ; autant Hitler en fera une cérémonie médiatique de vengeance, avec fanfare et défilé. *(Ici, cérémonie du 11 novembre 2005 dans la clairière.)*

21 juin 1919
Refusant de livrer ses navires aux vainqueurs, la flotte militaire allemande, rassemblée dans la baie de Scapa Flow, en Écosse, se saborde (c'est-à-dire coule volontairement ses bateaux).

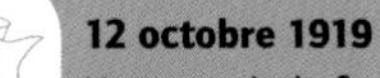

12 octobre 1919
Un an après la fin de la guerre, le Sénat français ratifie le traité de paix du 11 novembre 1918. En conséquence, la censure instaurée par le ministère de la Guerre le 5 août 1914 est supprimée.

Quatre grands monuments populaires

En France, ces deux lieux ne suffisent pas à la piété populaire. Dans chaque ville, chaque village, un monument aux morts est érigé. Les nécropoles nationales s'organisent, des monuments sont inaugurés. Mais c'est vers le champ de bataille, une terre devenue sacrée par tout le sang versé, que les pensées se tournent. Quatre sites majeurs de la souffrance et du sacrifice émergent, où maréchaux, généraux et évêques s'associent pour lancer de grandes souscriptions populaires. En Artois à Notre-Dame-de-Lorette *(ci-contre)*, dans la Marne à Dormans, à Verdun près du fort de Douaumont, et au Vieil-Armand dans les Vosges – en surplomb de la plaine d'Alsace retrouvée –, quatre grands sites sont aménagés. Chacun est surmonté d'une haute lanterne des morts qui brille et veille le soir.

Verdun, la terre martyre

À Verdun, tout autour de l'impressionnant ossuaire* *(ci-contre)* et de son grand cimetière, des dizaines de monuments sont dressés. L'un d'eux est insolite : celui de la tranchée des baïonnettes. Financé par un Américain, il se prête à une fausse légende qui raconte que des fantassins* français se sont laissé enterrer vivants sous les bombardements, ce qui est contraire à la vérité. Dans la ville, un autre monument dédié à la victoire et aux soldats de Verdun renferme les livres d'or de la bataille : le nom de chaque combattant français qui a participé à la lutte y est inscrit.

Les nécropoles

En décembre 1915, afin de rassurer les familles des disparus, une loi donne le droit à la sépulture individuelle et perpétuelle à tous les militaires morts pour la France. En novembre 1918, le regroupement des milliers de cimetières militaires commence. Aujourd'hui, 263 nécropoles nationales françaises de 1914-1918 comptent 730 000 corps, dont 244 000 en ossuaires. Elles témoignent, et pour longtemps encore, de ce tragique conflit que fut la Grande Guerre.

octobre 1919
À Paris, la Chambre des députés puis le Sénat ratifient le traité de Versailles signé avec l'Allemagne. Mais le 19 novembre, le Sénat américain refuse de ratifier ce même traité.

30 novembre 1919
Élections législatives en France. La droite remporte plus de 400 sièges contre 180 pour la gauche ; 369 nouveaux parlementaires sont élus, la plupart anciens combattants. Ils forment une "Chambre bleu horizon", de la couleur de l'uniforme qu'ils ont porté.

L'astérisque (*) signale les mots expliqués dans le lexique p. 150.

Les pictogrammes de la frise aident à identifier la nature de l'information :

Politique

Affaires militaires

Culture

Économie

Géographie

Religion

Sciences et techniques

Architecture

Vie quotidiennr

Déportations et exécutions

Texte : Franck Segrétain
Édition : Catherine Destephen, Servane Bayle
Contribution rédactionnelle : Mireille Touret
Direction artistique : Isabelle Mayer et Armelle Riva
Mise en page : Laurent Deshayes, Isabelle Mayer
Fabrication : Audrey Bord et Thierry Dubus

1939-1945
SECONDE GUERRE

Sommaire

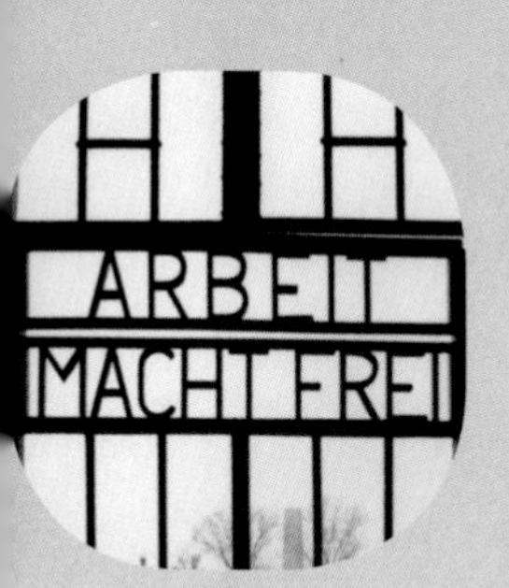

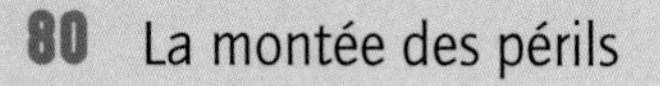

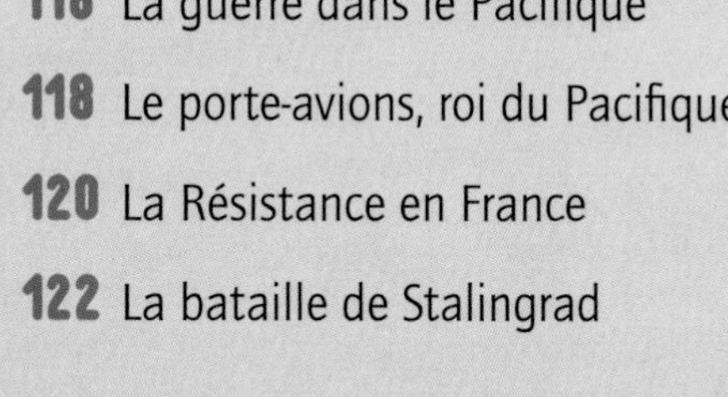

La montée des périls

Les traités signés après la guerre de 1914-1918 devaient assurer une paix durable en Europe, mais n'ont instauré qu'un équilibre précaire. Et lorsqu'en 1929, un krach* sans précédent ébranle les États-Unis et se propage au reste du monde, la paix est encore plus fragilisée...

Une crise économique mondiale

Le jeudi 24 octobre 1929, Wall Street, la Bourse de New York, connaît une chute brutale de ses cours. La production industrielle s'effondre, ainsi que les prix et les salaires. Les faillites d'entreprises se multiplient et des millions de travailleurs se retrouvent au chômage et souvent à la rue. Comme les États-Unis prêtaient de l'argent aux États européens afin de relever leur économie, les Bourses européennes baissent à leur tour. La crise gagne le reste du monde et l'équilibre fragile mis en place par la Société des Nations* (SDN) se retrouve en proie à une montée des nationalismes*.

À Wall Street, le jeudi 24 octobre 1929, des milliers de petits actionnaires ruinés se rassemblent devant la Bourse de New York dont les cours viennent de s'effondrer.

L'Allemagne hitlérienne

L'Allemagne est en pleine crise économique. Plus de 7 millions de personnes sont au chômage. La peur du communisme, et surtout la rancœur éprouvée contre les sévères exigences du traité de paix de Versailles (1919) ont engendré un fort courant nationaliste. Hitler (1889-1945), chef du parti national-socialiste* allemand (parti nazi), s'impose grâce à la violence de son mouvement et à son alliance avec les conservateurs. Son programme politique, exposé dans *Mein Kampf*, est antisémite et anticommuniste. Avec l'aide des SS*, il va mettre en place une dictature impitoyable.

De jeunes Allemands lisent *Mein Kampf*, livre dans lequel Hitler expose clairement son programme politique.

Adolf Hitler fonde le parti nazi en 1920.

mars 1933
Deux mois après l'arrivée de Hitler au pouvoir, le premier camp de concentration nazi est ouvert à Dachau, près de Munich. On y interne les opposants politiques.

1934
Heinrich Himmler devient le chef des SS et de la Gestapo*. Il instaure un appareil policier d'une puissance redoutable et d'une férocité inouïe. Les droits de l'Homme sont bafoués et la liberté d'expression supprimée.

Les coups de force nazis

Nommé chancelier du Reich* en janvier 1933, Hitler - qui se fait appeler le Führer (chef, guide) - opère très vite une série de coups de force. Au nom de l'"espace vital" nécessaire à la prospérité allemande, il entame une politique expansionniste. En mars 1935, il annonce le réarmement de l'Allemagne. En 1936, prétextant que le pacte signé entre la France et l'URSS* est dirigé contre l'Allemagne, il fait entrer ses troupes en Rhénanie, région démilitarisée depuis 1919. La France et l'Angleterre ne réagissent pas.

En 1939, dans la ville de León, en Espagne, un arc de triomphe est érigé en l'honneur de la Légion Condor. Cette unité, formée d'aviateurs allemands, prit part aux côtés de Franco à la guerre civile espagnole.

BENITO MUSSOLINI (1883-1945)

En 1922, le fondateur du parti fasciste* est nommé chef du gouvernement italien par le roi Victor-Emmanuel III. Il se fait alors accorder les pleins pouvoirs et met peu à peu en place une dictature. Chaque citoyen est soumis à l'État et à un parti politique unique. La popularité de Mussolini est cependant immense. L'Italie fasciste est d'ailleurs un modèle pour d'autres pays : la Hongrie, la Roumanie, l'Espagne, le Portugal et la Grèce adoptent eux aussi des régimes autoritaires.

Au pays du Soleil levant

La grave crise économique amorcée au Japon en 1930 amène les militaires au gouvernement dès 1931. Ils ambitionnent de faire de l'Asie et du Pacifique un vaste empire pouvant fournir matières premières, pétrole, main-d'œuvre et débouchés pour leur industrie. Cette même année, le Japon envahit la Chine et s'empare de la Mandchourie. En juillet 1937, l'armée japonaise occupe Nankin, la capitale chinoise : plus de 300 000 habitants sont assassinés. L'ère des massacres a commencé.

Le rapprochement des dictatures

D'abord inquiet des volontés expansionnistes de Hitler en Autriche, Mussolini se rapproche pourtant vite de lui. L'Allemagne est la seule, en effet, à le soutenir lors de l'agression italienne contre l'Éthiopie en 1935. De plus, en 1936, l'Allemagne et l'Italie aident les nationalistes du général Franco contre les républicains espagnols. Un axe Rome-Berlin se forme en octobre de cette même année, consolidé un mois plus tard par le Pacte anticommuniste signé par l'Allemagne, l'Italie et le Japon.

En juillet 1937, le Japon attaque la Chine, première étape de son expansion en Asie. Sur la Grande Muraille, au nord de Pékin, les soldats nationalistes chinois attendent les troupes japonaises.

de juillet 1936 à mars 1939
En Espagne, la guerre civile oppose le gouvernement républicain à l'armée nationaliste du général Franco. Ce terrible conflit fait plus de 600 000 morts. La victoire finale de Franco symbolise le succès des dictatures en Europe.

du 1er au 16 août 1936
Les XIe Jeux olympiques d'été s'ouvrent à Berlin. Contrairement aux attentes de Hitler, la vedette de ces olympiades est un athlète noir américain, Jesse Owens, qui rafle quatre médailles d'or et met à mal les théories raciales des nazis.

Le 14 mars 1938, Hitler entre dans Vienne au milieu d'une foule enthousiaste. Autrichien d'origine, il se rend ensuite dans sa ville natale de Braunau-am-Inn.

La marche à la guerre

Choisissant le parti de la guerre et misant sur la passivité de la France et de la Grande-Bretagne, Hitler décide de passer à la vitesse supérieure. Il entreprend, en Europe, les conquêtes nécessaires à l'expansion allemande, entraînant alors le monde dans la tourmente du conflit.

Première étape : l'Autriche

Au début de 1938, les nazis autrichiens intensifient leur propagande en faveur du rattachement de l'Autriche à l'Allemagne. Le 12 mars, sûr de l'appui de l'Italie, Hitler donne l'ordre à son armée d'envahir l'Autriche à l'appel du nazi autrichien Arthur Seyss-Inquart, nommé chancelier la veille. L'Anschluss (l'annexion) est proclamé, puis ratifié en avril par 99 % des suffrages en Allemagne et en Autriche. Les démocraties occidentales restent passives.

En mars 1938, le journal allemand *Die Woche* fait sa une avec l'annonce du rattachement de l'Autriche à l'Allemagne.

Les accords de Munic

La république de Tchécoslovaquie regrou plusieurs provinces de l'ancien emp austro-hongrois, dont la région c Sudètes abritant une forte minorité al mande. Celle-ci revendique l'autonon en 1938, mais le gouvernement de Prag refuse. Soutenue par Hitler, elle deman alors son rattachement à l'Allemag Une réunion a lieu le 30 septembre 19 à Munich entre Hitler, Mussolini et les ch des gouvernements français et angla Daladier et Chamberlain. Espérant évi la guerre, ces derniers abandonnent Sudètes à l'Allemagne. En mars 19 la Slovaquie déclare son indépendan et l'armée allemande occupe Prague la Bohême-Moravie : la Tchécoslovaq disparaît.

de 1936 à 1938

Staline organise, à Moscou, des procès contre d'anciens camarades du Parti communiste et des militaires de haut grade. Il les accuse d'être des traîtres à l'URSS et de travailler pour les nazis.

21 mars 1937

Le texte du pape Pie XI *Mit Brennender Sorge* (Avec une vive inquiétude), lu dans les églises catholiques d'Allemagne, condamn le nazisme. Le pouvoir réagit : presbytères fouillés, imprimeurs arrêtés, portraits de Hitler remplaçant les crucifix dans les écoles...

La faiblesse des démocraties

La dérobade des démocraties est sévèrement jugée par les petits pays européens qui se savent à la merci des dictatures. Le dirigeant communiste de l'URSS*, Joseph Staline, s'inquiète également et entame des négociations avec Hitler. Désormais, pour la France et l'Angleterre, le seul moyen d'empêcher une guerre est de faire preuve de fermeté. En avril 1939, elles promettent leur aide aux pays menacés par l'Allemagne, notamment la Pologne. Elles engagent alors des pourparlers avec Staline, car obtenir le soutien des Soviétiques devient primordial.

Le Pacte germano-soviétique

Le 23 août 1939, le monde stupéfait apprend que l'Allemagne hitlérienne et l'Union soviétique, deux régimes pourtant opposés, ont signé un pacte de non-agression. Pour Staline, qui craint toujours la convoitise allemande sur les territoires russes, ce pacte est un répit. De plus, certaines clauses secrètes lui assurent de récupérer les territoires perdus en 1918 (dont une partie de la Pologne). Quant à Hitler, il évite une guerre sur deux fronts et peut accéder au pétrole et aux matières premières russes. Ayant désormais les mains libres et comptant sur une nouvelle dérobade des démocraties, il exige alors que la Pologne restitue à l'Allemagne la ville de Dantzig*.

JOSEPH STALINE (1879-1953)

Staline n'a qu'un rôle effacé pendant la révolution d'Octobre 1917 qui amène les communistes et Lénine au pouvoir. Mais après la mort de celui-ci, en 1924, il prend le contrôle du Parti et du gouvernement de l'URSS. Il concentre tous les pouvoirs et fait éliminer ses opposants. Les déportations dans les goulags – des camps de travail – engloutissent des millions de personnes. À partir de 1934, Staline épure systématiquement les cadres du Parti et les officiers de l'armée, se privant ainsi de ses meilleurs chefs.

9-10 novembre 1938
Un énorme pogrom* est organisé dans toute l'Allemagne contre la population juive. Des nazis brûlent des synagogues et des biens appartenant à des Juifs, et assassinent une centaine d'entre eux. C'est ce que l'on a appelé la Nuit de Cristal.

23 mars 1939
L'Allemagne annexe la ville lituanienne de Memel. En avril 1939, l'Italie attaque l'Albanie qu'elle annexe également. La conquête de l'espace vital a commencé.

Les débuts de la guerre en Europe

Le 3 septembre 1939, la Grande-Bretagne et la France entrent en guerre contre l'Allemagne qui, deux jours plus tôt, a envahi la Pologne. La Seconde Guerre mondiale vient d'éclater. Cependant, conformément à leur stratégie défensive, Français et Anglais assistent à la défaite polonaise sans se décider à attaquer l'Allemagne.

Les divisions blindées constituent l'élément essentiel de la guerre éclair allemande. Elles doivent rompre le front puis s'engouffrer sur les arrières de l'ennemi. Elles peuvent aussi accompagner la progression des fantassins.

L'invasion de la Pologne

Depuis le début de 1939, Hitler demande qu'une partie du territoire polonais soit rattachée au Reich*. La France et la Grande-Bretagne poussent néanmoins la Pologne, avec qui elles sont alliées, à refuser. Cependant, sans aucune déclaration de guerre, les Allemands envahissent cette dernière le 1er septembre 1939. L'armée polonaise est vite prise en tenaille et subit les bombardements intensifs de la Luftwaffe*, l'aviation allemande. Lorsque le 17 septembre les Soviétiques entrent à leur tour en Pologne, son armée est déjà défaite par la Wehrmacht*. Vaincu, le pays est partagé entre ses puissants voisins.

Le 1er septembre 1939, des soldats allemands brisent la barrière de la douane polonaise.

LA BLITZKRIEG

Cette stratégie offensive repose sur l'utilisation combinée des chars, de l'infanterie* et de l'aviation, afin de mener une guerre de mouvement. Motorisation des unités, rapidité d'exécution et concentration des forces mécanisées permettent d'enfoncer rapidement les lignes ennemies.

30 novembre 1939
L'URSS* attaque la Finlande dont elle exige des territoires. Après une farouche résistance, l'armée finlandaise se retrouve vaincue en mars 1940.

20 mars 1940
Le gouvernement français d'Édouard Daladier démissionne face à l'hostilité d'une majorité de parlementaires. Paul Reynaud devient président du Conseil.

La "drôle de guerre"

Sur le front de l'Ouest, de septembre 1939 à mai 1940, tout est plutôt calme. Les attaques allemandes sont différées à cause du mauvais temps. Comme les opérations militaires restent limitées, l'inaction et l'ennui pèsent sur le moral des troupes alliées. Les Français se demandent pourquoi ils devraient se battre, puisque la Pologne a été vaincue et que la France n'est pas attaquée. En Allemagne, la propagande assure le peuple de la victoire prochaine.

LA LIGNE MAGINOT

Imaginée au début des années 1920 et réalisée au cours des années 1930, la ligne Maginot est au cœur de la stratégie défensive française. C'est une ligne de fortins et de galeries souterraines *(ci-dessous)*, armée de puissants canons. Elle est censée protéger la frontière française, de la Suisse jusqu'à Sedan. C'est justement là que les Allemands ont décidé de percer le front français.

En deux semaines de combat, les Polonais compteront 200 000 soldats tués et blessés, et 690 000 prisonniers.

Deux stratégies opposées

Adeptes d'une stratégie défensive, les Alliés sont persuadés qu'ils sont partis pour une longue guerre d'usure. Leur tactique, en effet, n'a pas changé depuis la Grande Guerre : les troupes sont dispersées le long d'un front continu, les chars et les avions subordonnés à l'infanterie. Ils pensent aussi que la victoire viendra de la supériorité matérielle. Avec l'aide de leurs colonies* qui fournissent des matières premières, Français et Britanniques veulent donc gagner du temps pour renforcer leur armement et leur ravitaillement. À l'inverse, les Allemands fondent leurs espoirs sur un conflit rapide devant mettre définitivement l'ennemi hors de combat. C'est la conception de la "guerre éclair" ou Blitzkrieg.

avril 1940
En Pologne, les nazis construisent le camp de concentration d'Auschwitz. Dans les territoires polonais qu'ils occupent, les Soviétiques déportent une partie de la population vers l'est et assassinent, à Katyn, 10 000 officiers polonais faits prisonniers.

avril 1940
L'Allemagne hitlérienne attaque le Danemark et la Norvège. Malgré l'envoi de renforts franco-britanniques en Norvège, ces deux pays tombent entre les mains des Allemands.

Blitzkrieg à l'Ouest

Après huit mois d'attente, l'assaut général allemand est donné à l'aube du 10 mai 1940. Surpris, puis pris de vitesse, les Alliés sont incapables de résister à cette guerre éclair.

LE BOMBARDIER STUKA

Le Junker 87 Stuka, bombardier en piqué, est un élément essentiel de la guerre éclair. Il est chargé d'appuyer l'attaque des chars en bombardant les fantassins* ennemis. Sa particularité est une sirène qui entre en action lorsque l'appareil amorce un piqué. Sur les routes de l'exode, ce hurlement terrifie soldats et civils.

Les forces en présence

En mai 1940, 135 divisions allemandes font face à 104 divisions franco-britanniques et 22 divisions belges. Les Français sont confiants dans leur défense et pensent que pour éviter la ligne Maginot *(voir p. 85)* et la forêt des Ardennes, les Allemands seront obligés de traverser la Belgique. Par conséquent les unités françaises les plus modernes sont sur la frontière pour entrer en Belgique et contrer l'armée allemande.

La Luftwaffe* n'hésite pas à bombarder systématiquement les routes, les ponts, mais aussi les agglomérations pour terroriser la population.

L'offensive allemande

L'attaque allemande est lancée le 10 mai 1940 aux Pays-Bas et en Belgique afin d'attirer les Alliés vers le nord. À l'aube, des parachutistes de la Wehrmacht* s'emparent de l'indispensable fort belge d'Eben-Emael. Pour faire face aux Allemands et soutenir les Belges et les Hollandais, les Alliés entrent en Belgique. Le 14 mai, le violent bombardement de Rotterdam fait plus de 1 000 victimes civiles. L'armée hollandaise capitule. Malgré une farouche résistance à Gembloux (près de Namur), Belges et Franco-Britanniques se replient vers l'ouest.

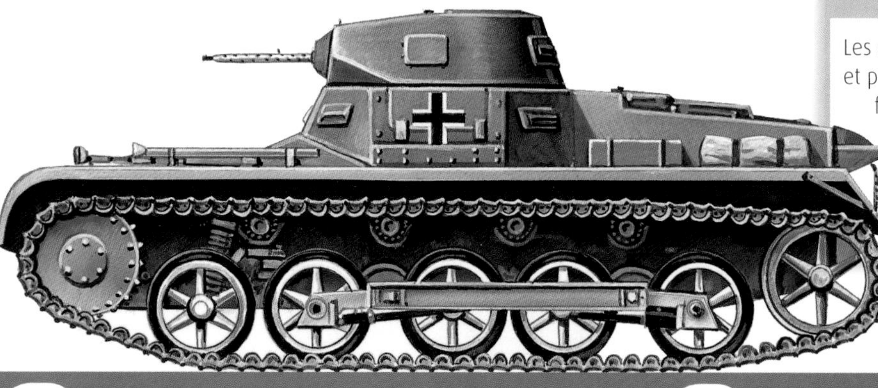

LES CHARS ALLEMANDS

Les chars légers Panzer sont peu blindés et peu armés. Inférieurs en puissance aux chars français, ils s'avèrent cependant plus efficaces que ces derniers puisque utilisés en formations de masse, et appuyés par l'aviation lors du franchissement des lignes ennemies.

10 mai 1940
L'offensive allemande contre les Pays-Bas, la Belgique et le Luxembourg a pour but d'attirer en Belgique les troupes franco-britanniques les plus modernes.

du 17 au 20 mai 1940
À Montcornet et à Crépy, dans le département de l'Aisne, la 4e division cuirassée, commandée par le colonel de Gaulle, arrête la progression des blindés allemands vers l'ouest.

Les chars percent le front à Sedan

Pendant que les Franco-Britanniques pénètrent en Belgique, 9 divisions blindées allemandes progressent dans la forêt des Ardennes. Le 13 mai, des centaines de Panzers* arrivent dans la région de Sedan et surprennent les Français qui, vite débordés, ne peuvent faire face à l'attaque. Certaines divisions, soumises à de violents bombardements aériens, se replient sans combattre, d'autres continuent la lutte mais ne réussissent pas à reformer un front solide. Dès le 21 mai, les Panzers atteignent l'embouchure de la Somme. C'est ainsi qu'en remontant vers le nord, les Allemands encerclent les troupes alliées et les poussent jusqu'à Lille et Dunkerque. Le 25 mai, l'armée belge s'effondre. Trois jours plus tard, le roi Léopold III signe la capitulation militaire alors que son gouvernement s'exile à Londres.

Le 13 mai 1940, les premiers éléments blindés de la Wehrmacht traversent la Meuse dans la région de Sedan, évacuée par les Français.

LE DEWOITINE 520

Rapide et bien armé, il est le meilleur chasseur français de la guerre. Mais seuls 36 exemplaires sont en service le 10 mai 1940.

Dans la poche de Dunkerque

C'est là que les meilleures unités françaises et britanniques sont prises dans le piège, repoussées par l'armée allemande qui atteint la mer le 23 mai. Le lendemain, sur ordre de Hitler, l'avancée allemande le long de la côte marque un temps d'arrêt et ne reprend que le 26. L'embarquement des Alliés peut commencer. Jusqu'au 4 juin, malgré les bombardements intensifs, 335 000 hommes, dont 116 000 Français, embarquent à Dunkerque et gagnent l'Angleterre. L'armée allemande peut alors déferler sur la France et attaquer les troupes massées le long de la ligne Maginot.

Britanniques et Français abandonnent tout leur matériel sur les plages de Dunkerque et évacuent la ville sous les bombardements.

23 mai 1940
Les premiers blindés allemands atteignent la Manche. Les troupes franco-britanniques sont encerclées dans le Nord, autour de Lille et de Dunkerque, et en Belgique.

5 juin 1940
Le chef du gouvernement, Paul Reynaud, appelle à ses côtés le maréchal Pétain - le vainqueur de Verdun - afin de redonner confiance aux Français. De Gaulle, tout juste promu général, est nommé sous-secrétaire d'État à la Défense nationale.

Dans la tourmente de la défaite

En juin 1940, la France connaît l'un des pires moments de son histoire. C'est le début du déferlement des troupes allemandes sur le sol français, et des milliers de civils se retrouvent sur les routes pour fuir l'envahisseur...

L'exode des civils

Commencé dès les premiers combats en Belgique, l'exode des populations civiles prend des proportions dramatiques. Un raz-de-marée humain, terrifié par les attaques et les sirènes hurlantes des bombardiers allemands Stuka, submerge les routes. Quittant leurs maisons, traînant charrettes et baluchons, hommes, femmes, enfants et vieillards tentent de prendre des trains déjà bondés dans des gares bombardées. Ils fuient les combats, les bombardements aériens et les méfaits allemands : exécutions de prisonniers de guerre et d'otages, viols ainsi que pillages de villages abandonnés. Les soldats français, ivres de fatigue, se joignent à eux dans le sauve-qui-peut général.

Le gouvernement en fuite

Au milieu de la peur et de la confusion, de la débâcle militaire et de l'exode de 8 millions de civils, le gouvernement part sur les routes encombrées et mitraillées pour trouver refuge à Tours puis à Bordeaux. Les administrations, les gendarmes, les pompiers quittent villes et villages. Une nation s'effondre.

Les Allemands bombardent les convois et les villes où les civils se réfugient. Ici, Calais après un raid aérien.

Sur les routes de l'exode pendant l'été 1940.

9 juin 1940
Sur l'ordre de Paul Reynaud, le général de Gaulle se rend à Londres afin de demander des renforts ainsi que l'aide de la RAF*.

10 juin 1940
L'Italie déclare la guerre à la France et à la Grande-Bretagne. Les Français défont les armées italiennes dans les Alpes.

La retraite générale

Après Dunkerque, l'armée française tente de reconstituer une ligne de défense sur la Somme, l'Oise et l'Aisne ; mais le 5 juin, ce front est percé et les blindés allemands se déploient vers Rouen et Épinal. Les Français combattent à un contre trois, et leurs positions cèdent sous la rapidité des manœuvres allemandes. Le 12 juin, l'ordre de la retraite générale est donné. Paris, déclaré ville ouverte*, est occupé le 14. Les combats se poursuivent sur la ligne Maginot, sur la Loire et aussi dans les Alpes, contre les Italiens entrés en guerre le 10 juin. Le nouveau président du Conseil, le maréchal Pétain, prend alors sa décision : il faut cesser le combat.

La déroute est totale, et des dizaines de milliers de soldats français sont faits prisonniers. Ils entament alors une marche interminable vers les camps de détention en Allemagne.

FIDÈLE AU POSTE !

À Chartres dans l'Eure-et-Loir, seul le préfet du département, Jean Moulin, est présent à son poste. Refusant d'exécuter l'ordre de repli, il reste pour mettre en place un service d'accueil, de soins et de distribution de nourriture pour les réfugiés affluant du nord de la France et de la région parisienne.

L'armistice est signé

Le 17 juin, à midi trente, lors d'une allocution à la radio, Pétain appelle à cesser le combat et demande les conditions de l'armistice*. Celui-ci est signé le 22 juin à Rethondes, et les hostilités cessent le 25 juin. En moins de sept semaines, 1,8 million de soldats français ont été fait prisonniers, 92 000 ont été tués et 225 000 blessés. Des milliers de civils sont morts lors des bombardements, les villes et les villages sont dévastés, et les routes de France regorgent de millions de personnes en fuite. Les clauses de l'armistice sont draconiennes : l'armée est réduite à 100 000 hommes, la flotte de guerre est neutralisée et d'importants frais d'occupation doivent être payés. Les Allemands découpent la France en sept zones *(voir p. 90-91)*. Seule la Grande-Bretagne lutte encore contre l'Allemagne nazie.

C'est à Rethondes, dans le wagon où le maréchal Foch avait reçu la reddition des Allemands le 11 novembre 1918 *(voir p. 69)*, que le général Huntziger *(à droite)* signe la convention d'armistice. L'endroit a été volontairement choisi par Hitler afin d'effacer "l'humiliation" de la Première Guerre mondiale.

14 juin 1940
Les Allemands entrent dans Paris. La ville est désertée par une grande partie de la population qui fuit vers le sud, sur les routes de l'exode.

16 juin 1940
Paul Reynaud, le chef du gouvernement français, donne sa démission. Il est alors remplacé par le maréchal Pétain qui demande aussitôt l'armistice.

GRANDE-BRETAGNE
PAYS-BAS
Manche
Dunkerque
BELGIQUE
Lille
Cherbourg
Le Havre
Amiens
Brest
Caen
LUXEMBOURG
Paris
Rennes
Océan Atlantique
Metz
Nancy
Nantes
Tours
Poitiers
Bourges
Dijon
Vichy
Clermont-Ferrand
Lyon
Bordeaux
Toulouse
Montpellier
Marseille
Toulon
ESPAGNE
Mer Méditerranée

La France après l'armistice du 22 juin 1940

- Ligne de démarcation
- Zone occupée par les Allemands. À partir de novembre 1942, cette zone s'appelle la zone Nord
- Zone non occupée, appelée zone libre ou zone Sud
- Zone réservée du nord-est
- Zone interdite rattachée au gouverneur militaire allemand de Bruxelles
- Alsace-Moselle annexées au Reich allemand
- Secteurs occupés par les Italiens à partir de l'armistice
- Limite de l'occupation italienne à partir de novembre 1942
- Zone côtière interdite

3 juillet 1940
Après l'armistice, Churchill craint que la flotte française basée à Mers el-Kébir, en Algérie, ne tombe aux mains de l'ennemi. La Royal Navy* envoie un ultimatum, puis lance son attaque. En 20 minutes, des navires sont coulés, 1297 marins français sont tués.

juillet 1940
L'amiral Muselier, le chef des Forces aériennes et navales françaises libres, adopte la croix de Lorraine comme symbole pour ses unités.

La France morcelée

Grâce à Pétain, Hitler espère conserver hors du conflit une France qui dispose encore d'un empire colonial et d'une puissante flotte de guerre. L'armistice* prévoit une ligne de démarcation entre une zone occupée par l'armée allemande et une zone libre. La France est pourtant tronçonnée en sept.

La ligne de démarcation

Selon la convention d'armistice, « le territoire français situé au nord et à l'ouest de la ligne de démarcation sera occupé par les troupes allemandes ». Longue de 1 200 km, cette ligne traverse la France de la frontière suisse à la frontière espagnole et coupe en deux treize départements.

Ausweis !

En août 1940, un régime rigoureux de laissez-passer, est instauré. Très difficile à obtenir, il est obligatoire pour aller d'une zone à l'autre. Les "indésirables" n'y ont pas droit, en particulier les Juifs. Les trains traversant la ligne de démarcation sont minutieusement contrôlés ainsi que les pièces d'identité *(Ausweis)* des passagers. Dès lors, beaucoup de Français tentent de la passer clandestinement.

Les différentes zones

Placée sous l'autorité du commandement militaire allemand en France, la zone occupée, ou zone Nord, comprend notamment la région parisienne. Le gouvernement de Vichy y exerce son autorité, mais les Allemands interdisent son retour à Paris. La zone Sud, dite libre, est administrée uniquement par l'État français. Les Allemands n'y ont aucun pouvoir, mais peuvent intervenir au moindre incident. La zone côtière interdite s'étend sur toute la longueur des côtes atlantiques et de la Manche, sur une largeur variant de 15 à 50 km. Seuls les résidents et les personnes munies d'un laissez-passer y ont accès.
Considérés comme zone de guerre, les départements du Nord et du Pas-de-Calais sont placés sous l'administration des autorités militaires allemandes de Bruxelles, et connaissent un isolement total jusqu'au début de 1941. Le gouvernement de Vichy y rétablit un semblant de souveraineté, mais pour les Allemands, cette zone reste détachée de la France. Tous les départements du nord-est sont en zone interdite puisque les Allemands souhaitent les annexer au Reich*. L'administration française y est réduite. On ne peut s'y rendre que difficilement. Ceux qui ont fui leur habitation n'ont pas le droit d'y retourner.
La zone occupée par les Italiens s'étend du lac Léman à la Méditerranée, mais seules certaines parties sont effectivement occupées.

ALLEMAGNE

Région de Westmark

Stuttgart

asbourg

Région de Bade

LA SEPTIÈME ZONE

Jusqu'en 1918, l'Alsace et la Moselle étaient annexées au Reich allemand et sont toujours considérées comme "terres du Reich" par les nazis en 1940. De ce fait, dès août, l'Allemagne annexe les départements du Haut-Rhin, du Bas-Rhin et de la Moselle. L'Alsace est rattachée à la région de Bade et la Moselle à celle de Westmark.
Des dizaines de milliers d'Alsaciens et de Mosellans jugés indésirables sont expulsés dès octobre 1940 et sont en partie remplacés par des colons allemands.

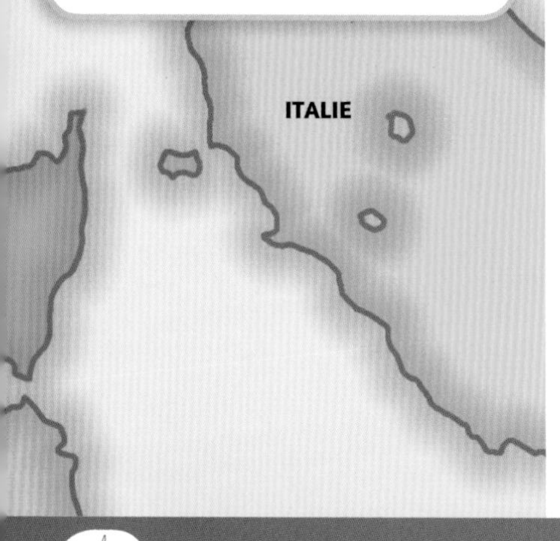

août 1940
Des émissaires de la France Libre arrivent clandestinement en France occupée afin de pouvoir établir un contact avec les premiers résistants.

fin août 1940
En Indochine, les Français se voient obligés de concéder des bases militaires aux Japonais, plutôt que d'être envahis militairement et faire face à un second front en Asie.

« À 49 ans, j'entrai dans l'aventure », écrira de Gaulle dans ses *Mémoires de guerre*.

La France Libre

Membre du gouvernement français du 5 au 16 juin 1940, le général de Gaulle n'accepte ni la défaite ni l'occupation, et rejoint Londres pour poursuivre la lutte avec les Britanniques. Le 18 juin, il appelle les Français à la résistance et fonde le mouvement de la France Libre.

L'Appel du 18 Juin

Sur les antennes de la BBC, le mardi 18 juin 1940, le général de Gaulle lance un appel à l'attention de ses compatriotes. Il faut continuer le combat : « Quoi qu'il arrive, la flamme de la résistance française ne doit pas s'éteindre et ne s'éteindra pas ! » Même si, dans la France désemparée de juin 1940, l'appel de Londres est plutôt ignoré, il reste un discours prémonitoire sur le caractère mondial du conflit et il deviendra, au fil du temps, la voix de la France Libre, et de Gaulle un symbole.

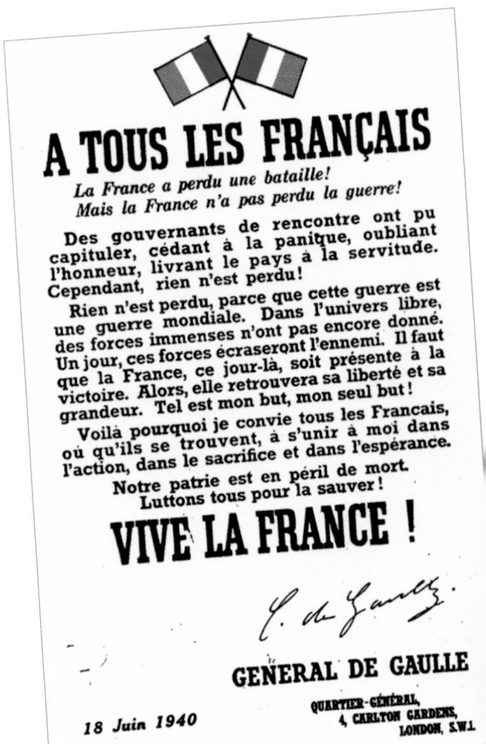

A TOUS LES FRANÇAIS

La France a perdu une bataille!
Mais la France n'a pas perdu la guerre!

Des gouvernants de rencontre ont pu capituler, cédant à la panique, oubliant l'honneur, livrant le pays à la servitude. Cependant, rien n'est perdu!

Rien n'est perdu, parce que cette guerre est une guerre mondiale. Dans l'univers libre, des forces immenses n'ont pas encore donné. Un jour, ces forces écraseront l'ennemi. Il faut que la France, ce jour-là, soit présente à la victoire. Alors, elle retrouvera sa liberté et sa grandeur. Tel est mon but, mon seul but!

Voilà pourquoi je convie tous les Français, où qu'ils se trouvent, à s'unir à moi dans l'action, dans le sacrifice et dans l'espérance.

Notre patrie est en péril de mort.
Luttons tous pour la sauver!

VIVE LA FRANCE !

C. de Gaulle

GÉNÉRAL DE GAULLE

18 Juin 1940

QUARTIER-GÉNÉRAL,
4, CARLTON GARDENS,
LONDON, S.W.1

Cette affiche, placardée sur les murs de Londres en juillet 1940, est un résumé des déclarations radiophoniques de De Gaulle.

LE GÉNÉRAL DE GAULLE (1890-1970)

Charles de Gaulle naît à Lille dans une famille catholique et patriote. Il s'oriente vers une carrière militaire et est admis à l'école militaire de Saint-Cyr. Il est ensuite affecté au 33e régiment d'infanterie, stationné à Arras et commandé par le colonel Pétain. Pendant la Grande Guerre, il est blessé trois fois et est fait prisonnier à Verdun en 1916. En 1934, il publie *Vers l'armée de métier,* dans lequel il développe ses théories sur l'emploi des blindés dans la guerre moderne. Pendant la campagne de mai-juin 1940, il s'illustre à la tête de la 4e division cuirassée en livrant bataille à Montcornet et Abbeville. Début juin, il est nommé général de brigade et devient sous-secrétaire d'État à la Défense nationale et à la Guerre dans le gouvernement de Paul Reynaud.

Une poignée de volontaires

Le général de Gaulle ne parvient à rallier à sa cause ni les hommes politiques importants, ni les militaires de haut rang. Même en Angleterre, parmi les milliers de soldats français évacués de Norvège ou de Dunkerque, seuls 2 000 d'entre eux décident de poursuivre le combat et refusent d'être rapatriés en France. Malgré cet isolement et le caractère désespéré de sa situation, Charles de Gaulle souhaite avant tout maintenir la France dans la guerre. Le 14 juillet 1940, il passe en revue les premières troupes des Forces françaises libres (FFL) qui défilent à Londres. Et le 7 août, le gouvernement britannique le reconnaît comme « le chef de tous les Français libres ».

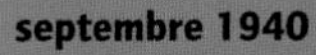

septembre 1940
Pendant le Blitz*, les Londoniens se réfugient dans le métro. Lorsque les bombardements sont effectués de nuit, ils font la queue devant les stations dès le début de l'après-midi. Même les escaliers et les rails sont investis après l'arrêt du trafic.

25 septembre 1940
Le général de Gaulle subit un échec à Dakar alors qu'il tente de rallier à sa cause l'Afrique occidentale française (AOF*). Comme l'Afrique du Nord, l'AOF reste du côté du gouvernement de Vichy.

Le colonel Leclerc accueille de Gaulle à Douala, au Cameroun, après avoir été nommé par ce dernier commissaire général de ce territoire.

Les ralliements de l'empire

Dans l'empire colonial*, les Nouvelles-Hébrides, la Nouvelle-Calédonie, les comptoirs des Indes et Tahiti choisissent de poursuivre la lutte et rejoignent de Gaulle. En Afrique, le 26 août 1940, le gouverneur général Félix Éboué, partisan de De Gaulle, rallie le Tchad à la cause de la France Libre, ce qui provoque le rassemblement de presque toute l'Afrique équatoriale française (AEF*). C'est la première grande victoire pour la France Libre. Le 27 octobre, à Brazzaville, de Gaulle crée le Conseil de défense de l'empire, sorte de gouvernement reconnu par Winston Churchill pour représenter les intérêts de la France en guerre. Le 9 novembre 1940, le Gabon est rallié par la force par le colonel Leclerc. Grâce à l'action du général de Gaulle, la France Libre dispose d'un territoire, d'un gouvernement et d'une armée.

Le gouverneur du Tchad, Félix Éboué, prend contact avec le général de Gaulle dès juillet 1940.

Cette jeune femme, engagée dans les rangs des Français Libres, s'entraîne au tir sur le sol anglais.

27 septembre 1940
Le Japon, l'Allemagne et l'Italie signent le pacte tripartite. Il prévoit un partage du monde et une assistance dans le cas où l'un des trois pays serait agressé.

3 octobre 1940
Le premier statut des Juifs est publié : « Est Juive toute personne issue de trois grands-parents de race juive ou de deux grands-parents de la même race, si son conjoint lui-même est Juif. » Mais la race juive n'est pas définie dans ce statut.

La bataille d'Angleterre

En juillet 1940, les Britanniques restent seuls en guerre. La situation est difficile, mais le Premier ministre Winston Churchill parvient à galvaniser son peuple et rejette toute négociation avec Hitler. Ce dernier ordonne donc l'invasion des îles Britanniques, mais il lui faut d'abord obtenir la maîtrise du ciel au-dessus de la Manche.

La Luftwaffe entre en scène

Le 2 août 1940, Hitler décide d'intensifier la bataille au-dessus de l'Angleterre. Les Allemands concentrent alors près de 3 000 avions sur les aérodromes français et belges. La première grande offensive de la Luftwaffe* a lieu le 13 août (le jour de l'Aigle). Les Allemands perdent 45 avions, contre 13 du côté des Britanniques. Le 15 août, la Luftwaffe fait 1 790 sorties, perd 75 avions quand les Anglais en perdent 34. Tout au long du mois d'août, la Royal Air Force* (RAF) doit faire face à des attaques allemandes quotidiennes. Des deux côtés, les pertes sont importantes. Si la RAF est à bout de souffle (plus de 20 appareils disparaissent par jour), les équipages allemands paient aussi un lourd tribut.

LE HEINKEL III

C'est le bombardier de la bataille d'Angleterre. Rapide et robuste, mais faiblement armé, il est une proie facile pour les Spitfire et les Hurricane britanniques. Le Heinkel 111 a aussi servi en Yougoslavie, en Grèce puis en Russie.

LE SPITFIRE

Le Supermarine Spitfire (cracheur de feu) est le plus célèbre avion de chasse britannique de la Seconde Guerre mondiale. C'est l'appareil qui a permis de gagner la bataille d'Angleterre. Pouvant atteindre plus de 650 km/h, armé de deux canons et de quatre mitrailleuses, cet avion sera utilisé sur tous les fronts.

Londres visé

En représailles d'un raid aérien anglais contre Berlin, Hitler décide de frapper les civils. Le 7 septembre, les Londoniens sont directement attaqués : le Blitz* allemand commence, il a pour but de terroriser les civils anglais et de les démoraliser. En septembre 1940, les Allemands larguent 7 000 tonnes de bombes sur Londres, tuent 7 000 personnes et en blessent 10 000 autres. Le 15 septembre, ils espèrent lancer le coup de grâce : 250 bombardiers et 700 chasseurs sont engagés. Mais grâce aux radars, qui permettent de détecter les formations ennemies, et aux rapides Spitfire, la Luftwaffe n'obtient pas la victoire espérée.

octobre 1940
Charles Chaplin (Charlot) remporte un grand succès aux États-Unis avec son film *Le Dictateur*. Il y incarne les rôles d'un Juif et d'un dictateur ressemblant énormément à Hitler. L'œuvre est un véritable hymne à la paix.

16 octobre 1940
À Varsovie, les Allemands créent le ghetto, un quartier de la ville entouré de murs où tous les Juifs sont concentrés. Le 15 novembre, le ghetto, avec ses 400 000 habitants, est isolé du reste de la ville.

Les Britanniques sous le Blitz

À partir du 17 septembre 1940, Hitler ordonne un bombardement systématique des régions les plus peuplées. Pendant la nuit du 15 octobre, 380 tonnes de bombes classiques et 70 000 bombes incendiaires sont larguées sur Londres. Un mois après, d'autres grandes villes sont visées : Plymouth, Glasgow, Birmingham, Southampton... Coventry est totalement détruit le 14 novembre 1940. Dans la nuit du 10 au 11 mai 1941, un raid massif sur Londres provoque 2 000 incendies et fait 3 000 victimes. Puis, fin mai, les unités de la Luftwaffe sont réquisitionnées pour préparer l'invasion de l'URSS*. Les raids sur l'Angleterre sont suspendus. Entre juillet 1940 et mai 1941, ces derniers auront fait 43 000 morts et 250 000 blessés. Et sur les 1 000 aviateurs de la RAF engagés, 400 sont morts au combat.

Les pilotes anglais ont réussi leur mission : Hitler a renoncé à envahir la Grande-Bretagne.

La plupart des grandes villes de Grande-Bretagne subissent le Blitz, et des milliers de civils périssent dans l'effondrement de leurs maisons. Ici, une rue de Londres après le bombardement du 10 octobre 1940.

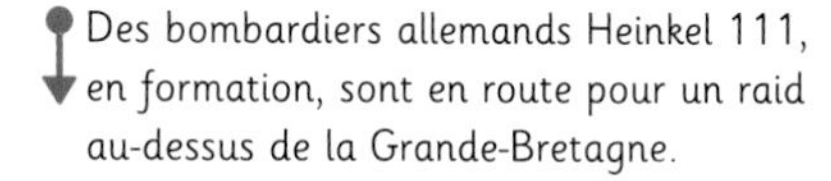

Des bombardiers allemands Heinkel 111, en formation, sont en route pour un raid au-dessus de la Grande-Bretagne.

24 octobre 1940
Le maréchal Pétain et Adolf Hitler se rencontrent dans la petite ville de Montoire. Leur poignée de main rend alors officielle la collaboration entre la France et l'Allemagne.

28 octobre 1940
L'Italie attaque la Grèce. Les soldats grecs, en infériorité numérique, infligent de lourdes pertes aux troupes de Mussolini, qui battent en retraite en moins de deux semaines.

L'État français

Le 10 juillet 1940, la France vaincue se dote d'un nouveau régime politique. Le Sénat et la Chambre des députés, réunis à Vichy, donnent tous les pouvoirs au maréchal Pétain pour promulguer une nouvelle constitution garantissant « les droits du Travail, de la Famille et de la Patrie ». C'est le décès de la IIIe République et la naissance de l'État français.

« Travail, Famille, Patrie »

Le maréchal Pétain, chef de l'État, décide de redresser la France intellectuellement et moralement. Il met en place la Révolution nationale renouant avec les valeurs traditionnelles du travail, de la famille et de la patrie, garantes de « la cohésion et de la grandeur de la Nation française ». Le régime, basé à Vichy, condamne les principes républicains énoncés dans la devise « Liberté, Égalité, Fraternité ». Les individus ne sont dès lors plus libres ni égaux en droit. En mettant en avant le maréchal et le travail, et en prônant aussi le retour à la terre, cette vision de la société se rapproche de l'idéologie fasciste*.

LE MARÉCHAL PÉTAIN (1856-1951)

À 84 ans, le héros de Verdun devient président du Conseil le 16 juin 1940. Dès le 17, il demande à l'armée française de cesser le combat. Chef de l'État français à partir du 10 juillet, il profite de la défaite et de l'occupation pour installer un régime politique autoritaire, à l'opposé des traditions républicaines. Espérant obtenir des compromis avec l'occupant, Pétain et ses chefs de gouvernement – Pierre Laval puis l'amiral Darlan – acceptent de collaborer avec les nazis. Rien n'est concédé par les Allemands, et c'est pourtant avec zèle que le régime de Vichy se lance dans la chasse aux Juifs et aux résistants.

fin 1940
Capitale de l'Europe libre, Londres accueille les gouvernements en exil comme ceux de Pologne, de Tchécoslovaquie, de Norvège, de Belgique, de Yougoslavie, de Grèce, des Pays-Bas – avec la reine Wilhelmine –, ainsi que la grande duchesse Charlotte de Luxembourg.

janvier 1941
Le compositeur français Messiaen, prisonnier de guerre en Pologne, donne en concert une œuvre écrite derrière les barbelés : *Quatuor pour la fin du temps.*

Un régime autoritaire et raciste

L'État français supprime le suffrage universel et interdit toute opposition politique. Les syndicats sont dissous et la presse est étroitement surveillée. Le "redressement national" requiert l'exclusion des éléments de "l'anti-France". On dissout ainsi les loges franc-maçonnes et on arrête en masse les communistes. Le régime s'oriente aussi vers une exclusion raciale : les naturalisations accordées depuis 1927 sont révisées, et surtout un statut sur les Juifs est promulgué dès le 3 octobre 1940. Ils deviennent alors des citoyens de seconde zone, à qui l'on retire progressivement tous les droits.

La Milice française

Créée en janvier 1943 et placée sous les ordres de Joseph Darnand pour maintenir l'ordre en France, la Milice représente le dernier pas de Vichy vers la collaboration totale avec les nazis. Les miliciens traquent les résistants et les Juifs, et se rendent coupables d'exécutions sommaires et de tortures.

Une nouvelle jeunesse

Une grande importance est accordée à la jeunesse qu'il faut modeler pour la faire "penser juste et obéir". Diverses organisations sont ainsi créées dès 1940 dans la zone libre. Les Compagnons de France regroupent des jeunes de 15 à 20 ans destinés à former l'avant-garde de la Révolution nationale. Pour leur redonner le goût du travail et l'amour de la patrie, on leur propose de participer à des besognes d'intérêt collectif (travaux agricoles, constructions de routes...). Les garçons de 20 ans sont également mobilisés pendant huit mois dans une sorte de service militaire obligatoire : ce sont les Chantiers de la Jeunesse.

mars 1941
Les troupes allemandes pénètrent en Bulgarie avec l'autorisation du gouvernement de Sofia. L'URSS* condamne cette invasion, la Grande-Bretagne rompt ses relations diplomatiques avec la Bulgarie.

11 mars 1941
La loi sur le prêt-bail est votée par le congrès des États-Unis. Elle autorise le président Roosevelt à vendre, louer ou échanger du matériel de guerre aux pays dont la défense est vitale pour les intérêts américains. C'est un premier pas vers la guerre.

Soldats et uniformes

De 1939 à 1945, sur les fronts d'Europe, d'Afrique ou d'Asie, dans le désert ou les jungles tropicales, les nations en guerre ont des uniformes reconnaissables notamment grâce à leur couleur et à leur casque.

Le "poilu" de 1940

Depuis les années 1920, le soldat français porte une tenue kaki qui remplace le bleu horizon de la Première Guerre mondiale. Particulièrement chaud l'été et ne protégeant pas du froid l'hiver, cet uniforme est lourd et inconfortable. Le casque Adrian est celui de 1915, modifié à la fin des années 1920.

Le fantassin* allemand

La tenue de campagne allemande de 1940 est d'une couleur *feldgrau*, vert-de-gris en français. Elle allie tradition militaire allemande et confort pour le soldat. Le casque d'acier qui date de 1916 a été modifié en 1935.

Le soldat belge

Il conserve la silhouette française avec le casque Adrian sur lequel est apposé le Lion royal, mais la couleur vert kaki de l'uniforme est typiquement anglaise.

Le "rat du désert" anglais

Dans le désert, les Britanniques ont adopté la tenue kaki clair. Le short et les chaussettes sont devenus célèbres grâce aux hommes de la 8e armée du général Montgomery. Ces "rats du désert" combattent l'Afrikakorps* du général Rommel.

mars 1941
Le ministère du Travail britannique mobilise les femmes, afin que les hommes ne fassent plus les travaux qu'elles peuvent exécuter à leur place. À partir d'avril, les Anglaises remplacent ainsi peu à peu les hommes dans les usines d'armement.

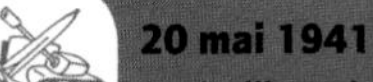

20 mai 1941
Après l'invasion allemande de la Yougoslavie en avril, les troupes du Reich* attaquent la Crète et chassent les unités britanniques qui défendaient l'île. L'Europe entière est alors soumise aux Allemands.

Le marine américain

Le casque M1 est revêtu d'une toile de camouflage et la tenue de travail est utilisée au combat. La veste de couleur olive porte sur la poche gauche les initiales USMC (United States Marines Corps). Pour mieux supporter la chaleur et l'humidité de la jungle, le marine porte couramment le pantalon par-dessus des guêtres de toile.

Le soldat russe

Le Soviétique porte un manteau (ou capote) dont les pattes du col indiquent à la fois l'arme et le grade. Son équipement se compose d'un ceinturon soutenant des cartouchières, et d'un havresac, un sac de toile kaki. La mauvaise qualité des textiles et des cuirs produits en URSS* fait que les soldats portent souvent des uniformes dépareillés, parfois avec des éléments de l'armée allemande, comme les bottes.

Le soldat japonais

Il porte généralement le casque par-dessus une casquette de campagne avec couvre-nuque pour se protéger du soleil. La tenue est kaki jaune pour les troupes stationnées en Chine et sur le continent, et kaki clair pour celles opérant dans les zones tropicales.

Le bersaglier italien

Soldat de l'infanterie légère, le bersaglier est reconnaissable au plumet vert-noir (plumes de coq) porté sur le chapeau traditionnel de cuir ou sur le casque modèle 1933.

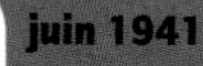

juin 1941
La Wehrmacht* et l'armée roumaine envahissent l'Union soviétique le 22 juin. C'est le début de l'opération Barbarossa. La Hongrie et la Finlande entrent également en guerre contre l'URSS. Mussolini envoie aussi une division combattre sur le front de l'Est.

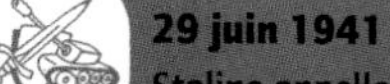

29 juin 1941
Staline appelle les populations occupées par les Allemands à engager une guerre de partisans* à l'arrière du front. En Yougoslavie, Joseph Tito, chef du parti communiste, dirige le soulèvement populaire contre les Italiens et les Allemands. Il forme une armée de partisans.

La bataille de l'Atlantique

Seule en guerre, la Grande-Bretagne est dépendante de l'aide américaine en matériel et en matières premières. Or les routes maritimes entre l'Amérique et les îles Britanniques sont quadrillées par les sous-marins allemands...

Atlantique sud, 1941. Un navire anglais largue des grenades sous-marines pour détruire un U-Boot immergé.

L'Atlantique, un champ de bataille

Fin 1939, les Alliés ont perdu dans l'Atlantique 750 000 tonnes de navires marchands, coulés par les bâtiments de guerre, les mines magnétiques et les sous-marins ennemis. En 1940, la Norvège est conquise, puis la France vaincue : la Royal Navy* perd ses alliés dans l'Atlantique et concentre ses forces dans la Manche au cas où l'Allemagne envahirait la Grande-Bretagne. La Kriegsmarine*, quant à elle, utilise les ports français de Brest, Lorient, Saint-Nazaire... et contrôle ainsi l'Atlantique nord. Mais la perte des puissants cuirassés *Graf von Spee* (décembre 1939) et *Bismarck* (mai 1941) entraîne le déclin de la marine de surface allemande, qui est alors ramenée à l'abri dans les fjords norvégiens. Les U-Boote* continuent cependant de harceler les convois anglais.

Le cuirassé allemand *Graf von Spee*, mis en service en 1936, se saborde le 17 décembre 1939 dans l'estuaire du Rio de la Plata (Uruguay), après un engagement avec les croiseurs britanniques *Ajax* et *Exeter*, et le croiseur néo-zélandais *Achilles*.

juin-juillet 1941
Les troupes anglaises défont les nationalistes* irakiens, puis les forces de Vichy en Syrie et au Liban. Ces victoires permettent à la Grande-Bretagne de consolider ses positions au Moyen-Orient et ses liens maritimes avec son empire indien.

14 août 1941
Winston Churchill et le président Roosevelt se rencontrent au large de Terre-Neuve. Ils proposent une série de principes moraux devant guider les démocraties à garantir une restauration durable de la paix : c'est la charte de l'Atlantique.

LES U-BOOTE

C'est l'amiral allemand Dönitz qui, avant la guerre, a plaidé en faveur d'une production accélérée des sous-marins. Utilisés en groupes et guidés par radio depuis la terre, les U-Boote font des ravages parmi les convois alliés. Ils peuvent à la fois attaquer des grands navires de guerre, des bateaux de commerce, effectuer des opérations de commandos et de renseignements. Ils ont pour atouts une grande vitesse d'immersion et des torpilles qui peuvent atteindre une cible distante de 3 000 m.

Malgré les terribles pertes infligées aux marines alliées, près de 80 % des U-Boote seront détruits et les trois quarts des sous-mariniers allemands mourront au combat.

Ces destroyers anglais partent à la chasse aux sous-marins allemands.

Les U-Boote, maîtres de l'Atlantique

Pendant le seul mois d'avril 1941, la Luftwaffe* coule 320 000 tonnes de navires, et les U-Boote 250 000 tonnes. Une fois la Luftwaffe envoyée sur le front russe en juin 1941, seuls restent présents dans l'Atlantique les bombardiers à long rayon d'action. Ceux-ci repèrent les bateaux alliés et signalent leur position au poste de commandement allemand de Lorient. Les sous-marins sont alors envoyés en groupe, selon la tactique de la "meute de loups", et font de véritables carnages. En décembre 1941, les États-Unis entrent en guerre, mais refusent de dégarnir leur flotte du Pacifique pour protéger les convois alliés dans l'Atlantique. De ce fait, les U-Boote coulent 6,5 millions de tonnes de navires en 1942, et 500 000 tonnes en moyenne par mois début 1943. Inutile de dire que les liaisons entre l'Amérique du Nord et la Grande-Bretagne sont gravement compromises.

LES CONVOIS ALLIÉS

Les navires marchands sont placés au centre d'un dispositif de bâtiments de guerre équipés de radars. Ces derniers détectent les sous-marins immergés distants de moins de 1 000 m. À partir de 1943, quand les Alliés auront construit suffisamment de navires d'escorte, dont des porte-avions, les sous-marins allemands seront plus vulnérables et les convois moins attaqués.

Les Alliés prennent le dessus

Au printemps 1943, les Alliés réorganisent leurs convois et augmentent le nombre de navires d'escorte. Le Brésil étant entré en guerre, sa marine patrouille dans l'Atlantique sud. De plus, de nouveaux radars sont mis au point et des avions à long rayon d'action entrent en scène. Tous ces éléments permettent de réduire le nombre de bateaux détruits. En mai 1943, les Alliés coulent 40 sous-marins. À la fin de la guerre, la Royal Navy a perdu 3 000 bâtiments et ses alliés 2 000, soit 20 millions de tonnes ; 45 000 marins alliés sont morts au combat dont 30 000 Britanniques. Malgré ces lourdes pertes, ce sont les Alliés qui remportent la bataille de l'Atlantique.

août 1941
Pour faire face aux attentats de la résistance communiste contre ses soldats, la Wehrmacht* prévoit que pour chaque Allemand tué, des Français emprisonnés seront fusillés. De son côté, Vichy instaure un tribunal spécial pour réprimer les actions communistes.

1er septembre 1941
La radio londonienne BBC commence à diffuser ses mystérieux "messages personnels". Ils permettront de transmettre jusqu'à la fin de la guerre toutes sortes de messages : confirmation d'une mission, annonce d'une opération aérienne...

La guerre du désert

Le 10 juin 1940, l'entrée en guerre de l'Italie contre la France et la Grande-Bretagne constitue une menace pour les positions des Alliés en Afrique et dans le Bassin méditerranéen. En septembre 1940, à partir de leur colonie* libyenne, les Italiens engagent les hostilités contre les Anglais en Égypte. C'est le début de la guerre du désert.

Rommel arrive en Afrique

Début janvier 1941, les Britanniques repoussent les Italiens jusqu'à Tobrouk et El-Agheila, et font plus de 130 000 prisonniers. C'est alors que l'Italie reçoit l'aide de l'Afrikakorps* du général Rommel qui prend l'offensive en février. Le 4 avril, Benghazi tombe aux mains des Allemands. La garnison australienne de Tobrouk résiste encore, mais les troupes britanniques reculent jusqu'en Égypte. En novembre 1941, grâce à des renforts, elles reprennent l'offensive. La garnison de Tobrouk, toujours assiégée, est libérée par les Britanniques en décembre après de violents combats. Le 6 janvier 1942, les Allemands se replient sur El-Agheila. Rommel, qui a perdu plus de 24 000 soldats et des centaines de chars, décide de se replier dans la région de Tripoli.

ERWIN ROMMEL (1891-1944)

Brillant chef de guerre, spécialiste des blindés, il prend part à la campagne de France puis à la guerre du désert. En juin 1942, il est promu maréchal par Hitler en récompense de ses exploits. En mars 1943, il rejoint la France pour organiser sa défense contre le futur débarquement. Impliqué dans le complot contre Hitler en juillet 1944, il est contraint au suicide.

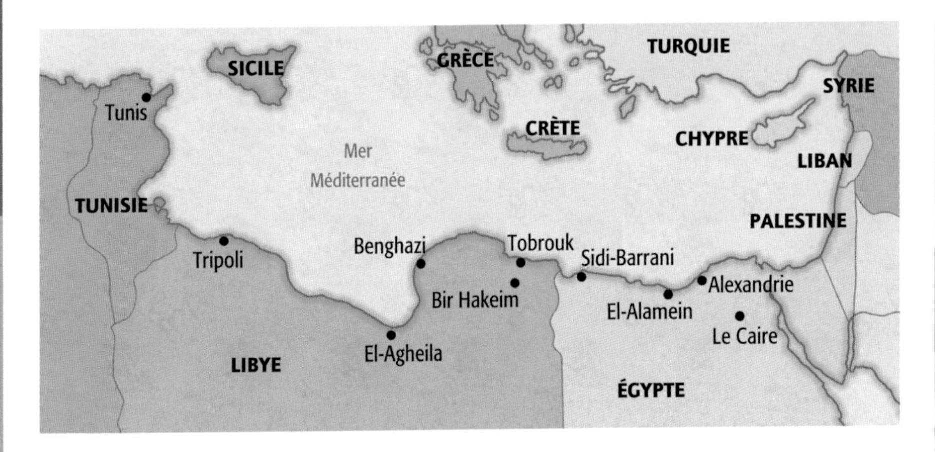

De Bir Hakeim à El-Alamein

Le 21 janvier 1942, Rommel reçoit des renforts de chars et fait alors mouvement vers l'est. Malgré la défense héroïque des Français libres à Bir Hakeim, Allemands et Italiens reprennent Tobrouk le 21 juin. Encore une fois, les Anglais se replient vers l'Égypte. En juillet, une première bataille a lieu à El-Alamein où les Britanniques arrêtent les Allemands qui ne sont plus qu'à 160 km d'Alexandrie. Sans ravitaillement en nourriture ni en eau, et dans des conditions climatiques extrêmes, les hommes des deux camps sont épuisés.

Le général britannique Bernard Montgomery (1887-1976) mène la 8e armée de El-Alamein à Tunis. Ce militaire prudent est aimé de ses hommes.

24 septembre 1941
Le général de Gaulle constitue le Comité national français, qui a pour but de défendre les intérêts de la France en guerre. C'est une sorte de gouvernement français en exil.

22 octobre 1941
Suite aux attentats contre 2 officiers allemands à Nantes et à Bordeaux, 98 otages sont fusillés dont 27 à Châteaubriand, 16 à Nantes, 5 au Mont Valérien – un fort près de Paris –, et 50 à Souges, près de Bordeaux.

Ces soldats anglais tirent à la mitrailleuse lourde lors d'un combat dans le désert libyen.

Victoire anglaise à El-Alamein

Le 23 octobre 1942, en supériorité numérique et matérielle, les Britanniques repassent à l'offensive à El-Alamein et font des milliers de prisonniers dans les rangs allemands et italiens. Le maréchal Rommel est alors dans une situation désespérée : à l'est, la 8e armée britannique ne cesse de recevoir des renforts et poursuit sa progression vers l'ouest, alors qu'en Algérie et au Maroc, les Alliés anglo-américains débarquent.

Ce Panzer passe non loin de chars anglais en train de brûler.

LA GUERRE DU DÉSERT

Dans cette guerre de mouvement, tout repose sur les manœuvres des blindés. Le désert n'offre pas vraiment d'obstacle naturel ni de position facilement défendable. Chacun à leur tour, les belligérants prennent donc l'offensive et parcourent de vastes étendues. La progression se fait dans des situations véritablement extrêmes : les nuages de sable réduisent la visibilité et encrassent les machines, les températures élevées le jour et glaciales la nuit épuisent les soldats. Dans de telles conditions, il faut des litres d'eau par jour. Mais sur des pistes ensablées, le ravitaillement est difficile.

Les forces de l'Axe chassées d'Afrique

Après une terrible campagne, les Anglo-Américains et les Français libèrent la Tunisie en mai 1943. Les Allemands et les Italiens sont chassés d'Afrique. Ces victoires en Afrique du Nord surviennent en même temps que la défaite de Stalingrad *(voir p. 122-123)*. Cette période de novembre 1942 à mai 1943 constitue un tournant dans l'histoire de la guerre : désormais, les forces de l'Axe* ne vont cesser de reculer.

Des fantassins* allemands avancent difficilement au milieu des dunes de sable.

novembre 1941
Les armées allemandes conquièrent la Crimée et assiègent Leningrad. Le 16 novembre, une grande offensive vise à prendre Moscou. Elle est arrêtée en décembre dans les faubourgs de la capitale russe. La guerre éclair en Russie a échoué.

7 décembre 1941
Le décret *Nacht und Nebel* (Nuit et brouillard) est signé par le général Keitel. Il prévoit la déportation en Allemagne des résistants ne pouvant être condamnés à mort rapidement par les tribunaux militaires en France, en Belgique, aux Pays-Bas et en Norvège.

L'invasion de l'URSS

Malgré le pacte germano-soviétique de non-agression, Hitler part en "croisade" le 22 juin 1941 contre la Russie communiste. Il pense rééditer la guerre éclair, mais l'offensive va s'enliser dans l'immensité russe et engloutir la plus grande partie de l'effort de guerre allemand.

Le matériel de guerre allemand se révèle, au début, supérieur à celui des Soviétiques.

Une progression fulgurante

En quelques jours, la Wehrmacht* pénètre sur les immenses territoires d'Ukraine et de Biélorussie avec pour objectifs Kiev, Leningrad et Moscou. Au total, près de 3,5 millions d'Allemands et de soldats alliés au Reich*, 10 000 engins blindés et 5 000 avions prennent part à la plus grande offensive de l'histoire. Staline ne veut pas croire à une agression allemande. Les 3 millions de Russes mobilisés n'y sont absolument pas préparés. Sans ordre précis, beaucoup meurent au combat ou sont faits prisonniers. En trois semaines, l'armée allemande pénètre de plus de 1 000 km en URSS*.

Une guerre sans pitié

Considérés par les Allemands comme des sous-hommes pour lesquels les lois de la guerre ne s'appliquent pas, les prisonniers soviétiques sont systématiquement maltraités. Mal nourris, pas soignés, ils sont souvent envoyés dans des camps de concentration. Sur les 5 millions de prisonniers russes que les Allemands détiendront, plus de 3 millions mourront. Les populations civiles sont aussi soumises aux mauvais traitements des nazis : la Wehrmacht n'hésite pas à tuer les Juifs et les membres du parti communiste, mais également les hommes, les femmes, les enfants et les vieillards si l'ordre ne règne pas dans les territoires conquis.

Une situation désastreuse

À l'automne 1941 les Allemands parviennent à quelques dizaines de kilomètres de Moscou et encerclent Leningrad. La situation des Soviétiques est désastreuse. L'Ukraine, grenier à blé de l'URSS, les États baltes, le nord de la Crimée et une grande partie des industries minières et sidérurgiques sont aux mains des Allemands. Staline se nomme commandant en chef des armées et décide de défendre Moscou coûte que coûte.

Une colonne de prisonniers de guerre soviétiques au début de l'offensive allemande pendant l'automne 1941.

22 décembre 1941
Ouverture de la conférence de Washington entre Roosevelt et Churchill. Cette rencontre se conclut le 1er janvier 1942 par la signature de la charte des Nations unies. Les représentants de 26 pays s'engagent à poursuivre ensemble la guerre contre les puissances de l'Axe*.

24 décembre 1941
L'amiral Muselier rallie l'archipel de Saint-Pierre-et-Miquelon, au large de Terre-Neuve, à la France Libre. Les Américains sont furieux de ce coup de force à quelques kilomètres de leurs côtes, car il va à l'encontre de leurs accords passés avec Vichy.

La résistance russe se durcit

Le front se stabilise devant Leningrad, Sébastopol et sur le fleuve Donets. L'Armée rouge reconstitue ses effectifs qui comptent alors plus de 4 millions d'hommes. Des contre-offensives sont menées en décembre 1941. Le 13, la tentative allemande pour encercler Moscou, la capitale soviétique, est repoussée. L'URSS a plié mais n'a pas rompu. Faute de réserves et parce que l'hiver s'annonce, l'armée allemande doit arrêter sa progression.

Des soldats soviétiques en progression dans un village.

Une guerre d'usure

À la fin de 1941, le front s'étend sur plus de 3000 km. Il apparaît alors que la guerre sera longue et difficile. Les Allemands se donnent des objectifs limités pour frapper le cœur économique de la Russie : la Volga - une artère nord-sud importante -, et le Caucase - une porte vers les champs pétroliers de la mer Noire. La guerre éclair est terminée. Elle se transforme en une impitoyable guerre d'usure entre deux nations et deux systèmes politiques dont l'un est condamné à disparaître.

Juillet 1941 : sous le feu des artilleurs* russes, des soldats allemands, en position, attendent l'ordre d'attaquer.

Malgré les tirs de barrage de l'artillerie allemande, les fantassins* soviétiques se lancent à l'assaut, baïonnette au canon.

de décembre 1941 à janvier 1942
Les Japonais occupent les empires coloniaux* britannique et hollandais, ainsi que les Philippines. Comme les Allemands en Russie, ils se montrent brutaux et racistes envers les peuples du Sud-Est asiatique.

janvier 1942
Jean Moulin est parachuté dans le sud de la France pour unifier les différents mouvements de résistance autour du général de Gaulle et du Comité national français.

Le 7 décembre 1941, à bord d'un porte-avions japonais, un pilote s'apprête à décoller sous les ovations des mécaniciens et des marins du bord.

Pearl Harbor

Pour poursuivre leur politique d'expansion en Asie, les Japonais veulent neutraliser la puissance américaine dans le Pacifique. Mais c'est un géant qu'ils vont réveiller !

Tora ! Tora ! Tora !

Le 7 décembre 1941, la base aéronavale américaine de Pearl Harbor, dans l'archipel des îles Hawaï, est attaquée sans déclaration de guerre. À 8 h, au cri de « Tora ! Tora ! Tora ! » (Tigre !), les pilotes japonais bombardent les 94 bâtiments au mouillage. La surprise est totale, et en quelques minutes, c'est l'enfer. Certains navires sont touchés et coulent en entraînant les marins vers la mort. De leur côté, les pilotes américains sont dans l'incapacité de rejoindre leurs appareils en feu. Une seconde vague d'avions renouvelle l'assaut à 8 h 40. C'est une victoire pour le Japon.

Offensives japonaises de décembre 1941 à juin 1942

URSS
ÎLES ALÉOUTIENNES
Océan Pacifique
Pékin
Nankin
Tokyo
Shangai
déc. 1941
Midway
Okinawa
Iwo Jima
BIRMANIE
Hong-Kong
Formose
ÎLES HAWAÏ
7 déc. 1941
ÎLES MARIANNES
INDOCHINE FRANÇAISE
déc. 1941
Manille
Saipan
PEARL HARBOR
ÎLES MARSHALL
déc. 1941
Guam
jan. 1942
déc. 1941
PHILIPPINES
THAILANDE
ÎLES CAROLINES
Singapour
MALAISIE
ÎLES GILBERT
SUMATRA
mars 1942
BORNÉO
ÎLES SALOMON
avril 1942
INDONÉSIE
JAVA
NOUVELLE-GUINÉE
Santa Cruz
Océan Indien
Mer de Corail
Guadalcanal
ÎLES PHŒNIX

20 janvier 1942
À Wannsee, Reinhardt Heydrich, chef de l'Office central de sécurité du Reich*, annonce devant de hauts fonctionnaires nazis qu'il a reçu l'ordre de préparer « la solution finale du problème juif » en Europe, c'est-à-dire l'extermination physique de tous les Juifs.

février 1942
Les Francs-Tireurs et Partisans* français (FTP), organisation armée de la résistance communiste, se dotent d'un comité militaire dirigé par Charles Tillon. Il a pour but de coordonner les attentats contre la Wehrmacht* et d'intensifier la guérilla urbaine.

Une attaque non décisive

À Washington, une heure après le premier bombardement, les diplomates japonais remettent la déclaration de guerre officielle. Les pertes américaines s'élèvent à 2 403 morts et 1 178 blessés. Côté matériel, 2 cuirassés sont coulés et 6 autres doivent être réparés, mais le potentiel naval américain n'est pas détruit : 3 porte-avions, 44 contre-torpilleurs, 16 croiseurs et 16 sous-marins sont intacts. Ce « jour d'infamie », selon les termes du président Roosevelt, balaie les dernières réticences des Américains à s'engager dans le conflit. Le cours de la guerre va désormais être modifié...

La base aéronavale américaine de Pearl Harbor sous les bombes des appareils japonais. Le port et les terrains d'aviation sont visés.

HIROHITO (1901-1989)

Empereur du Japon depuis 1926, Hirohito appelle son règne *Showa* : "Paix illuminée". Au début des années 1930, il abandonne la direction des affaires aux militaires dont le régime autoritaire prône une politique expansionniste en Asie. Il suit les événements sans tenter d'empêcher la guerre et, à la fin du conflit, il échappe à un procès pour crimes de guerre *(voir p. 147)*. Mais il doit accepter l'établissement d'une monarchie constitutionnelle et renonçer à son statut de droit divin.

Cap sur l'Asie et le Pacifique

Le lendemain, 8 décembre, les Japonais attaquent les Philippines et la Malaisie. Singapour, la Birmanie et l'Indonésie tombent à leur tour sous leur contrôle entre février et juin 1942. Seule la Chine résiste encore. Dès lors, maîtres d'une grande partie du Pacifique, les Japonais exercent une dangereuse pression sur l'empire des Indes et sur l'Australie. Ils ne réussiront pourtant pas à s'imposer face aux États-Unis et à la Grande-Bretagne.

En décembre 1941, après l'attaque de la base de Pearl Harbor, les soldats américains, assis derrière leurs mitrailleuses et des sacs de sable, scrutent le ciel, prêts à riposter à une nouvelle attaque japonaise.

de février à avril 1942
À Riom, dans le Puy-de-Dôme, Léon Blum, Édouard Daladier et le général Gamelin sont accusés par le régime de Vichy d'être responsables de la défaite de 1940. Ils arrivent à renverser la situation à leur avantage, et les Allemands, mécontents, suspendent le procès.

27 mars 1942
Le premier convoi de déportés juifs français quitte la gare du Bourget-Drancy avec 1 146 détenus, et prend la direction d'Auschwitz. Là-bas, le gazage des Juifs a débuté le 3 septembre 1941.

Les difficultés de la vie quotidienne

La vie est particulièrement pénible en France occupée et même en zone dite libre. Se nourrir, se chauffer, voyager ou simplement se rendre à son travail sont de véritables épreuves.

L'occupation allemande

L'uniforme vert-de-gris a investi toute la zone occupée, et de nombreuses familles doivent céder l'une de leurs chambres à l'occupant. Sur tous les édifices publics, les drapeaux français sont remplacés par des drapeaux à croix gammée. Partout présents, les Allemands deviennent des habitués des magasins, des restaurants, du métro... La propagande développe le thème du "bon soldat allemand". Pourtant, dès la fin de l'année 1940, les difficultés de la vie quotidienne s'accroissent, et les Français supportent de plus en plus mal cette occupation toujours plus pesante et répressive.

LES CARTES DE RATIONNEMENT

Ces cartes sont établies pour attribuer à chacun la part correspondant à ses besoins en fonction de son âge et de son activité professionnelle. "E" est la catégorie de cartes destinées aux enfants de moins de 3 ans. "J1" correspond aux enfants de 3 à 6 ans et "J2" à ceux de 6 à 13 ans... Chaque Français a sa carte d'alimentation. Une carte nationale de priorité est accordée aux mères de famille ayant au moins 4 enfants, aux femmes enceintes et aux mères allaitant un nouveau-né.

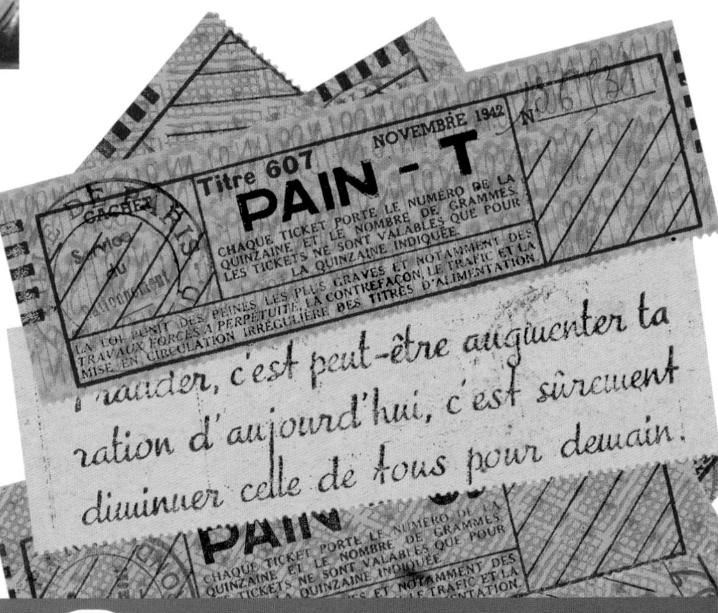

Se nourrir

Le rationnement commence dès le 24 juin 1940, et la ligne de démarcation indique bientôt la frontière au-delà de laquelle certains produits ne sont plus distribués. Les régions du Nord manquent de légumes, de fruits, de vin. Le Sud n'est pas mieux loti : les carences en céréales, en beurre, en pommes de terre sont importantes. La crise économique ne peut seule justifier les rigueurs du rationnement auquel les Français sont soumis. Nul n'est dupe : la pénurie est fortement accentuée par les prélèvements des Allemands.

18 avril 1942
À Vichy, Pierre Laval revient au pouvoir. Un mois plus tard, il déclare souhaiter la victoire de l'Allemagne et œuvrer pour une collaboration totale de la France de Vichy avec le Reich*.

avril 1942
Le général Pohl, dirigeant la section économique de la SS*, signe un décret sur l'extermination par le travail des détenus des camps de concentration.

CE QUE L'ON MANGE

Avant guerre, le citadin mange par mois 3,5 kg de viande, 15 kg de pommes de terre et 800 g de beurre. En 1942, la ration officielle mensuelle passe à 460 g de viande, 4 kg de pommes de terre et 75 g de beurre.

La queue ou le marché noir

Trouver de quoi manger devient une épreuve quotidienne. Dans cette quête, la campagne est mieux lotie que la ville. Les citadins doivent s'habituer aux longues files d'attente. On peut aussi trouver de la nourriture hors des circuits officiels, mais à des prix exorbitants : c'est le marché noir*. Les autorités arrêtent de nombreux trafiquants, mais sans enrayer le système. De plus, les risques devenant plus importants, les prix des marchandises "au noir" grimpent en flèche.

Se chauffer

À la faim s'ajoute le froid. L'hiver 1940 est rigoureux et les restrictions ne tardent pas. Le charbon est rationné et soumis à des autorisations d'approvisionnement. Les autorités conseillent à la population de se chauffer le moins possible. Dans chaque foyer, de nouvelles habitudes sont prises : on remet des bonnets de nuit, on empile les gilets sur soi et on réutilise les bassinoires (chauffe-lits). Maisons et appartements sont calfeutrés pour perdre un minimum de chaleur, les fenêtres restent closes. Faire cuire les aliments devient aussi problématique.

Se déplacer

Face à la pénurie d'essence, Vichy lance une campagne visant à encourager les Français à utiliser des sources d'énergie comme le bois ou le charbon. Sur les automobiles, on installe un nouveau et volumineux mode de propulsion qui transforme le bois ou le charbon en gaz : le gazogène. La mode du vélo s'impose. De nouveaux taxis font leur apparition : les passagers s'installent à l'abri dans un habitacle exigu et sans confort, tracté par un vélo. On assiste aussi au retour des véhicules tirés par des chevaux.

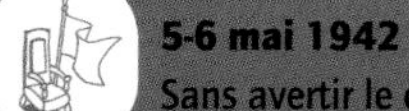

5-6 mai 1942
Sans avertir le général de Gaulle, les Britanniques débarquent à Madagascar, colonie* sous contrôle du régime de Vichy. Furieux, le général exige que Madagascar soit restituée au Comité national français.

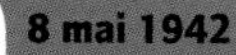

8 mai 1942
Dans la mer de Corail, lors de la première bataille entre porte-avions, la flotte japonaise subit un échec contre la flotte américaine située à plus de 150 km d'elle. Les troupes impériales ne peuvent s'emparer de Port-Moresby, capitale de la Nouvelle-Guinée.

Août 1940 : reprise du travail, sous étroite surveillance allemande, dans une usine de Liévin (Pas-de-Calais).

L'Europe allemande

Au début de 1942, l'Allemagne est au sommet de sa puissance et domine toute l'Europe. Elle redessine la carte du continent à son profit. Pour Hitler, la "race supérieure" allemande est destinée à dominer les autres peuples européens qui, soumis, doivent fournir au Reich* un effort de guerre toujours accru.

L'espace vital allemand

Les territoires conquis en Pologne et en URSS* constituent la grande part de cet espace estimé nécessaire à la prospérité allemande. L'ouest de la Pologne est annexé au Reich, et un "gouvernement général" dans lequel s'installent des colons allemands est formé à l'est. Les Polonais et les autres Slaves sont destinés à devenir les esclaves de leurs nouveaux maîtres. En Ukraine et en Biélorussie, on assiste à la création de "Kommissariats" administrés par les nazis. La population, expulsée des villes, se voit contrainte de vivre dans des baraquements et de travailler dans les champs ou dans les mines. Tout est prévu pour réduire le développement de ses capacités intellectuelles. Des colons allemands s'établissent aussi sur ces terres.

L'Europe en 1942

- Grand Reich allemand
- Pays alliés à l'Allemagne
- Territoires de l'URSS occupés par l'armée allemande
- Pays occupés par l'armée allemande
- Territoires annexés à l'Allemagne
- Pays neutres
- Pays en guerre contre l'Axe*

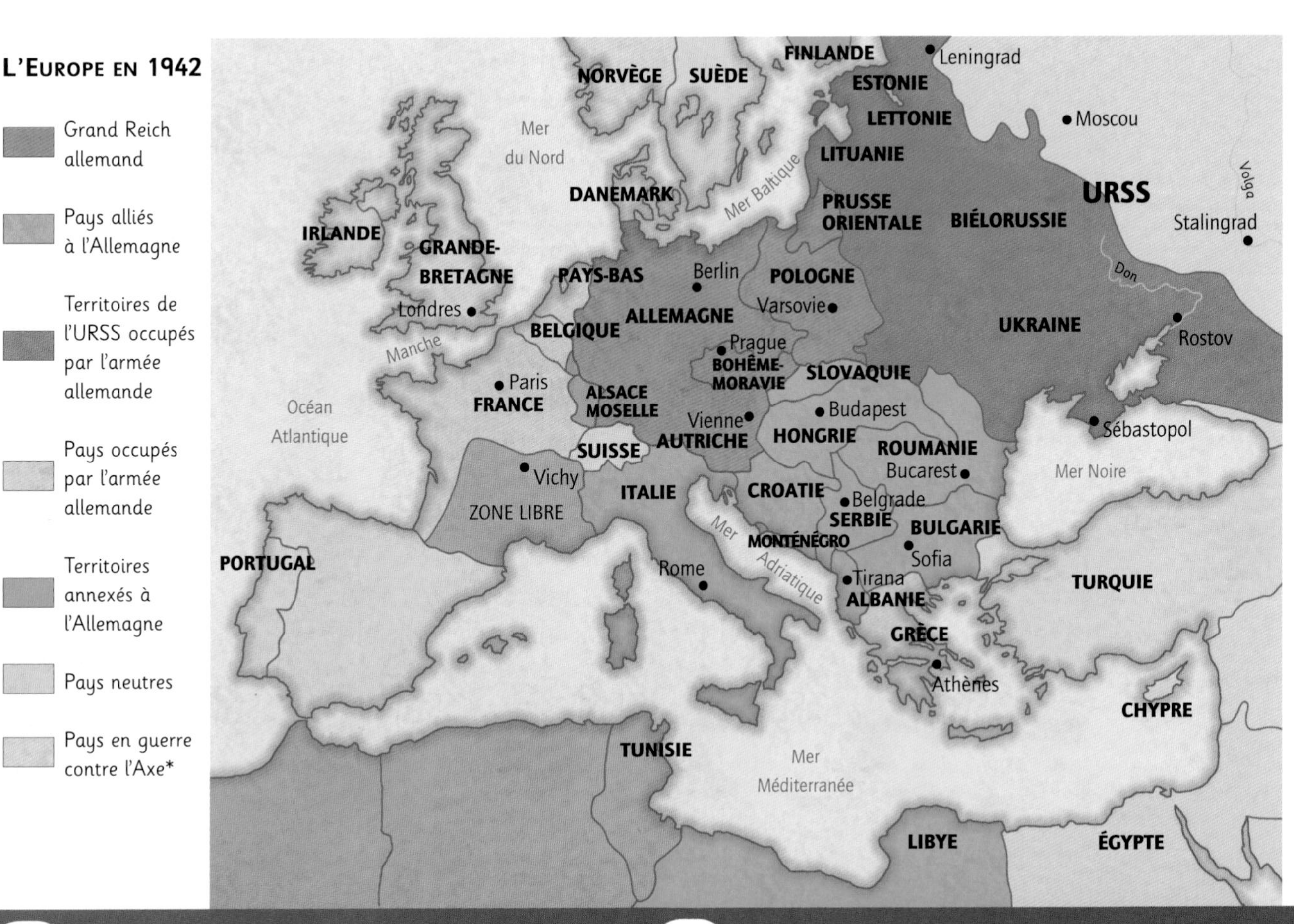

du 27 mai au 11 juin 1942
À Bir Hakeim, en Libye, les 3 723 Français libres du général Kœnig résistent avec succès aux assauts de trois divisions blindées du général Rommel. Cette victoire a un grand retentissement en France.

29 mai 1942
En France, les Allemands imposent aux Juifs de la zone occupée le port de l'étoile jaune. Cette mesure était déjà obligatoire depuis septembre 1941 dans tout le Reich.

La nouvelle carte de l'Europe

La carte de l'Europe est modifiée en faveur de l'Allemagne et de ses alliés. La Pologne disparaît au profit du Reich. La Yougoslavie est démembrée pour ne former qu'une petite Serbie et une Croatie pro-allemande. D'autres parties de son territoire sont cédées à la Hongrie, à la Bulgarie, à la Roumanie et à l'Italie, qui annexe également l'Albanie. La Hongrie, fidèle à l'Allemagne, obtient des territoires roumains, alors que la Roumanie acquiert certaines régions de l'URSS. La Bulgarie bénéficie aussi de conquêtes en Grèce. L'Alsace et la Moselle, comme le Luxembourg, sont annexées à l'Allemagne en août 1940. Les pays du Nord de l'Europe (Pays-Bas, Flandre et Scandinavie), dont les peuples sont de "races" proches des Allemands, sont promis à une assimilation au Grand Reich.

Un pillage organisé

L'Europe est systématiquement pillée pour "contrer le judéo-bolchevisme", et fournir à la machine de guerre allemande les matières premières et la main-d'œuvre nécessaires. À l'Est, les propriétaires des industries, des mines et des terres agricoles sont expropriés. Dans les pays alliés ou occupés, les usines tournent à l'unique avantage des nazis. L'économie française travaille presque exclusivement pour eux : l'industrie automobile, la production de blé, 25 % de la production de viande, l'aluminium et la moitié de la production de fonte partent en Allemagne.

Départ de Paris, gare de l'Est, pour ces jeunes travailleurs français réquisitionnés pour aller en Allemagne dans le cadre du Service du travail obligatoire (STO*).

La plupart des travailleurs forcés sont envoyés dans les usines d'armement en Allemagne.

Travailleurs de force

Dans l'Europe entière, des millions d'hommes et de femmes sont raflés et envoyés en Allemagne pour travailler dans les usines désertées par les Allemands mobilisés. En octobre 1944, on compte près de 8 millions de travailleurs étrangers en Allemagne. Au total, 12 à 14 millions d'Européens (dont plus de 1 million de Français) y travailleront dans des conditions très difficiles, parfois proches de celles des camps de concentration : les journées de travail sont souvent de plus de 12 h, et les contremaîtres allemands n'hésitent pas à frapper pour maintenir les cadences de production.

du 3 au 6 juin 1942
À Midway, la flotte aéronavale japonaise subit de très lourdes pertes. Menée par l'amiral américain Nimitz, cette bataille permet aux États-Unis de bloquer la progression japonaise dans le Pacifique.

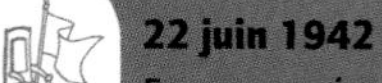

22 juin 1942
Face aux exigences de Fritz Sauckel, nazi chargé de recruter la main-d'œuvre européenne pour travailler dans les usines de guerre allemandes, Laval instaure la Relève : quand trois travailleurs français partent en Allemagne, un prisonnier de guerre rentre au pays.

L'horreur des camps

Portail d'entrée du camp de Sachsenhausen, sur lequel sont inscrits ces mots tristement célèbres : *Arbeit macht frei* (Le travail rend libre).

À leur arrivée au pouvoir, les nazis créent des camps de concentration pour y incarcérer les opposants au régime. Avec la guerre, ces camps se multiplient en Europe et les résistants y sont internés. C'est à partir de 1942 que les camps d'extermination voient le jour, afin de mettre à exécution la "solution finale".

Le 8 mai 1936, Heinrich Himmler (à droite) – dirigeant des forces de police allemandes et responsable du programme d'extermination des Juifs – visite le camp de concentration de Dachau. Il est accompagné de SS chargés de la surveillance des détenus dans les camps.

Les camps de concentration

Dès janvier 1933, les nazis multiplient les arrestations d'opposants communistes, socialistes, syndicalistes ou chrétiens. En mars de cette même année, le premier camp de concentration est créé à Dachau, près de Munich. Avec la guerre, chaque conquête hitlérienne s'accompagne de l'ouverture d'un nouveau camp : Mauthausen en Autriche, Auschwitz en Pologne, Natzweiler en France...

Une main-d'œuvre corvéable

Les détenus des camps de concentration proviennent de toute l'Europe. Des millions d'adversaires politiques et de résistants, mais aussi des criminels, des Juifs et des prisonniers de guerre soviétiques survivent dans des conditions de détention atroces. Sans soins, affamés, ils sont soumis aux travaux forcés, aux expériences "médicales", au sadisme de leurs gardiens SS* mais aussi des kapos*, souvent des détenus de droit commun à qui les Allemands délèguent une partie de leur pouvoir. L'horreur est quotidienne dans ces camps qui deviennent, avec les besoins de l'industrie de guerre allemande, des réserves de main-d'œuvre corvéable à merci.

Arrivée de Juifs hongrois au camp de concentration d'Auschwitz-Birkenau en juin 1944.

16-17 juillet 1942
À Paris, des policiers français arrêtent 13 000 Juifs suivant les instructions des Allemands et de la préfecture de Police. Les prisonniers sont entassés au Vel' d'Hiv' en attendant d'être internés dans le camp de Drancy d'où ils partiront pour Auschwitz.

19 août 1942
Des troupes anglo-canadiennes sont débarquées sur les plages de Dieppe. Les pertes sont très lourdes, mais l'opération apporte un grand nombre d'informations pour la préparation des prochains débarquements en Europe et dans les îles du Pacifique.

Au nom de l'idéologie

L'antisémitisme est au cœur de l'idéologie nazie. Pour Hitler, les Juifs sont responsables de la défaite allemande de 1918 et de la crise économique de la fin des années 1920. En 1935, les lois racistes de Nuremberg font des Juifs allemands des citoyens de second ordre. En Pologne conquise, des ghettos sont créés à Lodz, puis Cracovie, Lublin et Varsovie pour séparer les Juifs des autres Polonais. Dans toute l'Europe, les Juifs sont obligés de porter l'étoile jaune.

SIGNES DISTINCTIFS

Dans les camps, chaque prisonnier porte, cousu sur le côté gauche de sa veste, un triangle de couleur ainsi qu'une bande de tissu sur laquelle figure son matricule. La lettre imprimée sur le triangle indique la nationalité : D (Danois), F (Français), J (Yougoslave), P (Polonais), R (Russe), S (Espagnol).

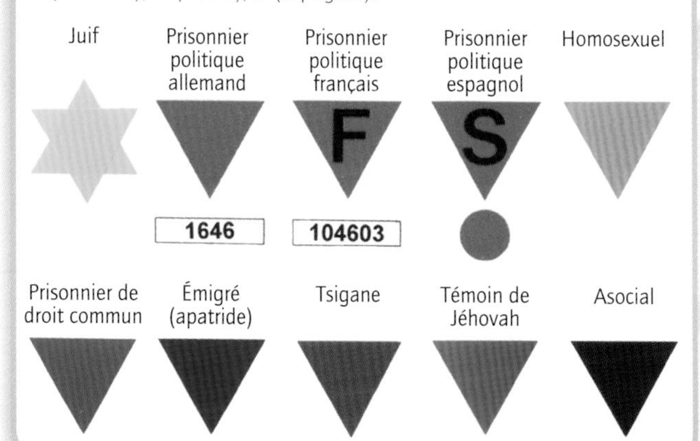

Intérieur d'un baraquement de prisonniers au camp de concentration de Buchenwald.

Les chambres à gaz

À peine descendus des wagons, les Juifs sont exterminés dans des chambres à gaz. On entasse des centaines de personnes à l'intérieur de prétendues douches où les nazis déversent un gaz, le zyklon B. Les victimes meurent asphyxiées. Des fours crématoires sont construits pour brûler les corps. Un tel système permet de tuer des dizaines de milliers de personnes par jour : la mort devient une industrie. Au total, plus de 5,6 millions de Juifs sont tués, dont près de 3 millions dans les centres d'extermination, plus de 1 million dans les ghettos et 1,5 million par les Einsatzgruppen et la Wehrmacht*. Plus de 70 % de la communauté juive d'Europe de 1939 est ainsi assassinée pendant la guerre.

La solution finale

Dès l'été 1941, dans les territoires soviétiques conquis peuplés de 5 millions de Juifs, les "Einsatzgruppen" (groupes spéciaux composés de SS) assassinent des centaines de milliers d'hommes, de femmes et d'enfants coupables d'être nés juifs. À la conférence de Wannsee, en janvier 1942, les nazis décident d'appliquer la « solution finale à la question juive » à l'ensemble des Juifs d'Europe : tous doivent être exterminés. Leur mise à mort systématique est organisée et planifiée. Après des jours de train dans des conditions inhumaines, ils arrivent jusqu'à des centres d'extermination : Auschwitz, Chelmno, Maïdanek, Belzec, Treblinka et Sobibor.

Fours crématoires d'Auschwitz, pris en photo à la libération des camps.

du 26 au 28 août 1942
Sur ordre de René Bousquet, secrétaire général à la police, près de 7 000 Juifs sont arrêtés en zone libre. Ils sont livrés aux Allemands par Vichy et sont déportés vers Auschwitz.

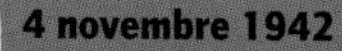

4 novembre 1942
À El-Alamein, Montgomery remporte la victoire contre l'Afrikakorps* et les unités italiennes. C'est d'après lui « un tournant capital de la guerre, non seulement sur le théâtre d'opérations africain, mais aussi sans doute dans le conflit entier. »

Les Forces françaises libres (FFL)

À Londres, en Égypte, en Afrique noire, le général de Gaulle parvient à regrouper des volontaires qui, dès décembre 1940, sont au combat contre les forces de l'Axe*. Leurs exploits à Koufra et à Bir Hakeim vont permettre à la France Libre de s'imposer face au gouvernement de Vichy.

Les premiers hommes des FFL

Les soldats français qui rejoignent le général de Gaulle ne sont que 3 000 en juillet 1940. Les premiers combattants sont déjà en Angleterre depuis la fin de la bataille de Norvège ou depuis Dunkerque. D'autres s'échappent de France pour rejoindre l'Angleterre, ou rallient des possessions britanniques comme Gibraltar, le Nigeria ou Chypre.

Des soldats venus d'ailleurs

Ces quelques milliers d'hommes constituent une unité : la 1re brigade française libre. Légionnaires, chasseurs alpins, fantassins* de l'infanterie coloniale*, Africains des bataillons de marche et Marocains forment l'embryon des Forces françaises libres. Ils combattent les Italiens dès la fin de 1940 en Libye, aux côtés des Britanniques.

MARIE PIERRE KŒNIG (1898-1970)

Ancien combattant de la Grande Guerre, Pierre Kœnig est l'un des premiers officiers à avoir rallié le général de Gaulle. La position de Bir Hakeim lui est confiée par les Britanniques. Il la tiendra jusqu'au bout.

L'exploit de Bir Hakeim

Du 27 mai au 11 juin 1942, à Bir Hakeim (Libye), les Français libres du général Kœnig tiennent tête à Rommel. Grâce à leur courage, ils permettent aux Britanniques de se replier en ordre jusqu'en Égypte. Sous une pluie d'obus, dans l'obscurité, au travers de champs de mines, ils réussissent à rejoindre les troupes anglaises. Cet exploit a un impact important parmi les FFL qui se battent, mais aussi en France où la nouvelle est connue grâce à la presse de la Résistance : pour la première fois depuis juin 1940, des soldats français ont combattu victorieusement les Allemands.

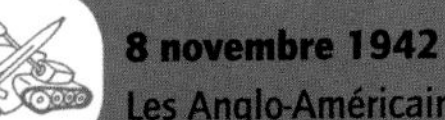

8 novembre 1942
Les Anglo-Américains débarquent en Algérie et au Maroc sous administration vichyste. Présent à Alger, l'amiral Darlan, ancien chef du gouvernement de Vichy, prend la direction de l'AFN* et entre en guerre contre l'Axe* qui a débarqué des troupes en Tunisie.

11 novembre 1942
Sous prétexte de protéger le Sud de la France d'une invasion alliée, les Allemands occupent la zone libre. Sur leur ordre, Vichy démobilise son armée le 27 novembre. Sa flotte de guerre basée à Toulon se saborde pour ne pas tomber aux mains des Allemands.

Les aviateurs de la France Libre

L'amiral Muselier, commandant en chef des Forces françaises navales et aériennes, forme une marine et une aviation autonomes de la Royal Navy* et de la RAF*. Dès août 1940, des aviateurs français se battent aux côtés des Britanniques lors de la bataille d'Angleterre. Des unités portant le nom de provinces françaises sont formées : Alsace, Bretagne, Lorraine… En 1943, l'escadrille Normandie est envoyée combattre sur le front de l'Est avec les Soviétiques. Des unités de parachutistes sont aussi créées au sein des commandos du Special Air Service* anglais (SAS).

Forces navales françaises libres

Malgré Mers el-Kébir, des marins français rejoignent les Forces navales françaises libres (FNFL). Ils participent, avec les premiers bâtiments arborant la croix de Lorraine, aux convois dans l'Atlantique et aux patrouilles dans la Manche.

PHILIPPE LECLERC (1902-1947)

Évadé de France en juin 1940, le capitaine de Hauteclocque, qui prend le nom de Leclerc, rejoint Londres. En novembre, il rallie le Gabon à la France Libre, puis est nommé commandant militaire du Tchad par de Gaulle. Là, il mène des raids contre les positions italiennes de Libye et prend l'oasis de Koufra en mars 1941. Leclerc jure alors de ne déposer les armes que lorsque les couleurs françaises flotteront sur Strasbourg.

Objectif : Normandie !

Un bataillon de fusiliers* marins commandos est formé sous les ordres du commandant Kieffer dès 1942. Il participera au débarquement du 6 juin 1944 à Ouistreham.

du 13 au 24 janvier 1943
Roosevelt et Churchill se rencontrent à Casablanca. Ils tentent de réconcilier les généraux français de Gaulle et Giraud qui se disputent la direction des forces françaises. Roosevelt promet à Giraud d'armer l'armée française.

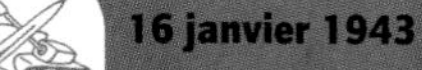

16 janvier 1943
En Yougoslavie, lâchés par les résistants royalistes (tchetniks), les partisans* communistes du général Tito font face à une violente offensive allemande. Les oustachis (fascistes* croates) et les nazis font régner la terreur en Serbie, massacrant Juifs, Tsiganes et Serbes.

La guerre dans le Pacifique

En 1942, la puissance industrielle des États-Unis leur permet d'être présents sur le front nord-africain, d'aider la Grande-Bretagne et l'URSS* et surtout de prendre l'initiative contre le Japon, maître du Sud-Est asiatique et du Pacifique.

Mitrailleur en action dans un Mitsubishi Ki-51, bombardier léger japonais.

Deux victoires aéronavales

C'est dans la mer de Corail *(voir carte p. 106)*, en mai 1942, qu'a lieu une étrange bataille navale. Pour la première fois, le combat est mené par des avions décollant de porte-avions : il n'y a pas d'affrontement direct et aucun navire n'aperçoit le navire de l'autre camp. Les Américains en sortent vainqueurs. Après ce premier échec, les Japonais se replient vers le nord ; mais un mois plus tard, à Midway, 4 de leurs porte-avions sont coulés et leur flotte subit une nouvelle défaite. L'élite des pilotes japonais est décimée. Les amiraux américains, très bien renseignés, ont fait preuve d'imagination et d'esprit de décision, les qualités requises pour gagner une bataille aéronavale.

Le "Tokyo Express"

Les Japonais renouvellent leur offensive et tentent d'établir une base aérienne à Guadalcanal, une île pouvant leur permettre de préparer une offensive contre l'Australie et le sud-ouest du Pacifique. En juillet 1942, 3 000 Japonais y sont envoyés pour construire un aérodrome. Le 7 août, les Américains réussissent leur première opération amphibie : 17 000 marines débarquent sur l'île. Malgré les renforts dépêchés, les Japonais se voient infliger de lourdes pertes. De plus, les Américains sont maîtres du ciel et leurs adversaires ne sont ravitaillés que par des convois maritimes de nuit, que les marines ont baptisés "Tokyo Express". Pendant ce temps, les combats se poursuivent pour la suprématie navale et la maîtrise des voies de communication avec l'île.

Navires de guerre, croiseurs et porte-avions américains en partance pour une nouvelle mission dans les eaux du Pacifique.

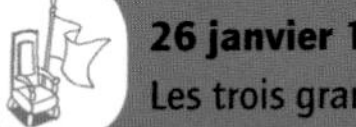

26 janvier 1943
Les trois grands mouvements de la Résistance française en zone Sud (Combat, Libération et Franc-Tireur) s'unissent. Ils coordonnent leurs actions politiques au sein des Mouvements Unis de la Résistance (MUR) présidés par Jean Moulin.

30 janvier 1943
Pour lutter contre la résistance qui s'organise et dont les actions se multiplient, Pierre Laval crée la Milice française, dirigée par Joseph Darnand. Elle va multiplier les exactions, pourchasser les Juifs et combattre la Résistance.

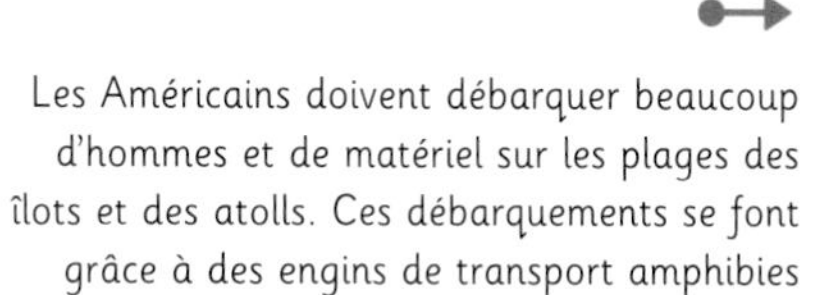

Les Américains doivent débarquer beaucoup d'hommes et de matériel sur les plages des îlots et des atolls. Ces débarquements se font grâce à des engins de transport amphibies Alligator, comme ici lors de leur arrivée sur l'île de Guadalcanal.

Des combats sanglants

À terre, la tactique japonaise reste la même : lancer sur les lignes américaines des colonnes serrées de fantassins* fanatisés, baïonnette au canon, en espérant que leur nombre submergera les marines. Mais ces attaques sanglantes, sans cesse renouvelées, ne menacent pas les Américains protégés dans leurs tranchées et soutenus par leur artillerie* et leur aviation. Le 12 septembre 1942, 8000 Japonais attaquent les positions américaines à Bloody Ridge, la "colline sanglante". Ils sont repoussés et comptent plus de 1 200 morts. Le 20 octobre, ils attaquent de nouveau et sont encore refoulés au prix de lourdes pertes.

Première victoire terrestre des Américains

L'offensive navale nippone reprend en octobre puis en novembre 1942. Le 26 octobre, une nouvelle bataille s'engage autour des îles Santa Cruz. Aucun camp n'en sort vainqueur. À la fin du mois de novembre, les Japonais de Guadalcanal se retrouvent isolés, sans nourriture et sans munitions. En décembre, soutenus par un renfort de 60000 hommes, les Américains reprennent l'offensive contre les 15000 Japonais encore présents. Ces derniers évacuent l'île le 4 janvier 1943. Chassées des îles Salomon, les troupes japonaises refluent alors vers le nord. Pour les Américains, cette victoire est très précieuse. En six mois d'intenses batailles, près de 30000 Japonais sont morts à Guadalcanal (contre 1 500 Américains), plus de 60 navires ont été coulés et 800 avions perdus. Pour la fragile industrie de guerre japonaise, ces pertes sont irremplaçables.

Des marines en position tentent d'apercevoir l'ennemi au milieu de la jungle tropicale.

16 février 1943
L'État français promulgue une loi sur le Service du travail obligatoire (STO*). Tous les jeunes gens nés en 1920, 1921 et 1922 doivent aller travailler en Allemagne pendant deux ans. Refusant cette "déportation", beaucoup rejoignent les maquis de la Résistance.

avril 1943
Le Petit Prince d'Antoine de Saint-Exupéry paraît en langues anglaise et française à New York. Il ne sera publié en France que fin 1945, à titre posthume : le 31 juillet 1944, le commandant de Saint-Exupéry disparaît au large de Marseille à bord de son avion de reconnaissance.

Le porte-avions, roi du Pacifique

En 1939, la guerre sur mer débute avec de puissantes forces de marine dont les plus beaux éléments sont les cuirassés rapides, fortement blindés et possédant une grande puissance de feu. C'est pourtant le porte-avions qui devient le roi de la bataille navale dans le Pacifique.

Le rôle du porte-avions

Plate-forme d'envol et d'atterrissage pour des avions de tout type, le porte-avions transporte des bombardiers pouvant pilonner la flotte ennemie ou une base terrestre. Grâce à lui, on peut envoyer rapidement une force de combat dans des rayons d'action de 300 à 400 km, et donc soutenir le débarquement de fantassins* ou détruire un autre bâtiment de guerre se trouvant hors de portée de canon. Les forces de marine se battent alors par avions interposés à des centaines de kilomètres de distance. Force d'attaque mais aussi de défense, les chasseurs embarqués protègent la flotte alliée. Couler un porte-avions ennemi permet de sortir vainqueur de la bataille !

Une forteresse flottante

Le porte-avions est aussi un bâtiment de guerre équipé de canons d'une portée de plus de 10 km, et de tourelles de lutte antiaérienne pouvant remplir le ciel d'obus. Cette "forteresse" devient l'élément essentiel des flottes américaines du Pacifique, les autres navires servant d'auxiliaires, de soutien aux opérations terrestres, de protection des convois...

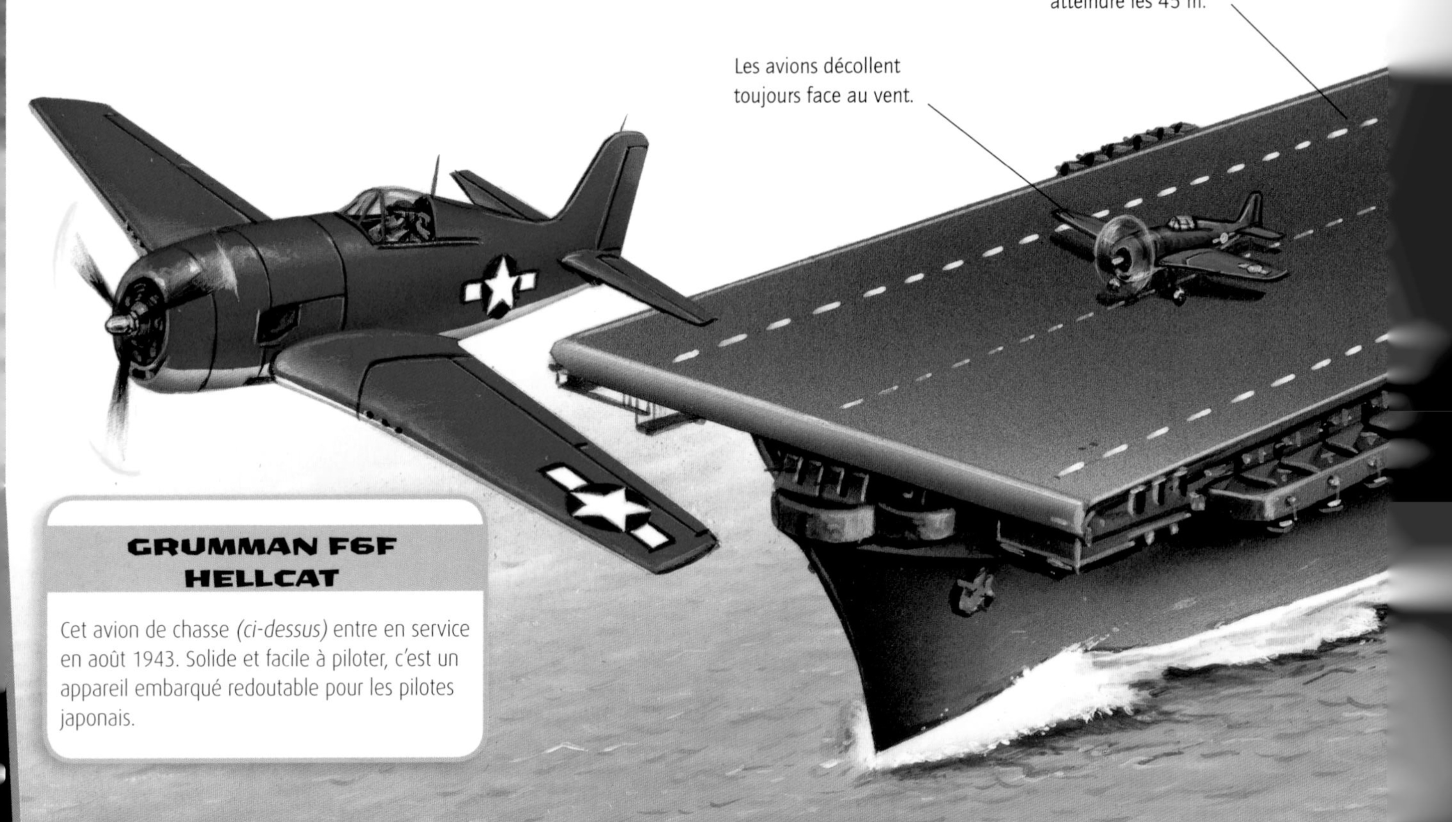

GRUMMAN F6F HELLCAT

Cet avion de chasse *(ci-dessus)* entre en service en août 1943. Solide et facile à piloter, c'est un appareil embarqué redoutable pour les pilotes japonais.

du 19 avril au 16 mai 1943
Les 70 000 Juifs survivant dans le ghetto de Varsovie se soulèvent contre les Allemands. Leur lutte est acharnée malgré leurs faibles moyens. Ils sont 5 000 à pouvoir s'enfuir. Les rares rescapés sont abattus ou envoyés dans les chambres à gaz de Maïdanek et de Treblinka.

13 mai 1943
Les Alliés sortent vainqueurs de la bataille de Tunisie et font près de 250 000 prisonniers allemands et italiens. L'Axe* est chassé d'Afrique. L'ouverture d'un second front en Europe, dans le sud de l'Italie, devient alors possible.

Une arme chère et complexe

Fabriquer de tels engins de guerre est délicat. Le porte-avions est à la fois un navire et un aérodrome. Sa construction et son entretien nécessitent donc une industrie navale moderne et un personnel instruit : marins qualifiés, spécialistes de l'aéronautique, mécaniciens, pilotes ayant subi une formation spéciale. Cela requiert aussi des avions capables de décoller et d'atterrir sur une distance réduite, moins de 250 m sur les porte-avions de la Seconde Guerre mondiale. Alors que les États-Unis mettent en chantier des dizaines de ces bâtiments, la production japonaise, elle, ne suit pas par manque de matières premières. Ainsi, entre fin 1941 et septembre 1945, les Américains construisent 132 porte-avions, alors que les Japonais en fabriquent seulement 23.

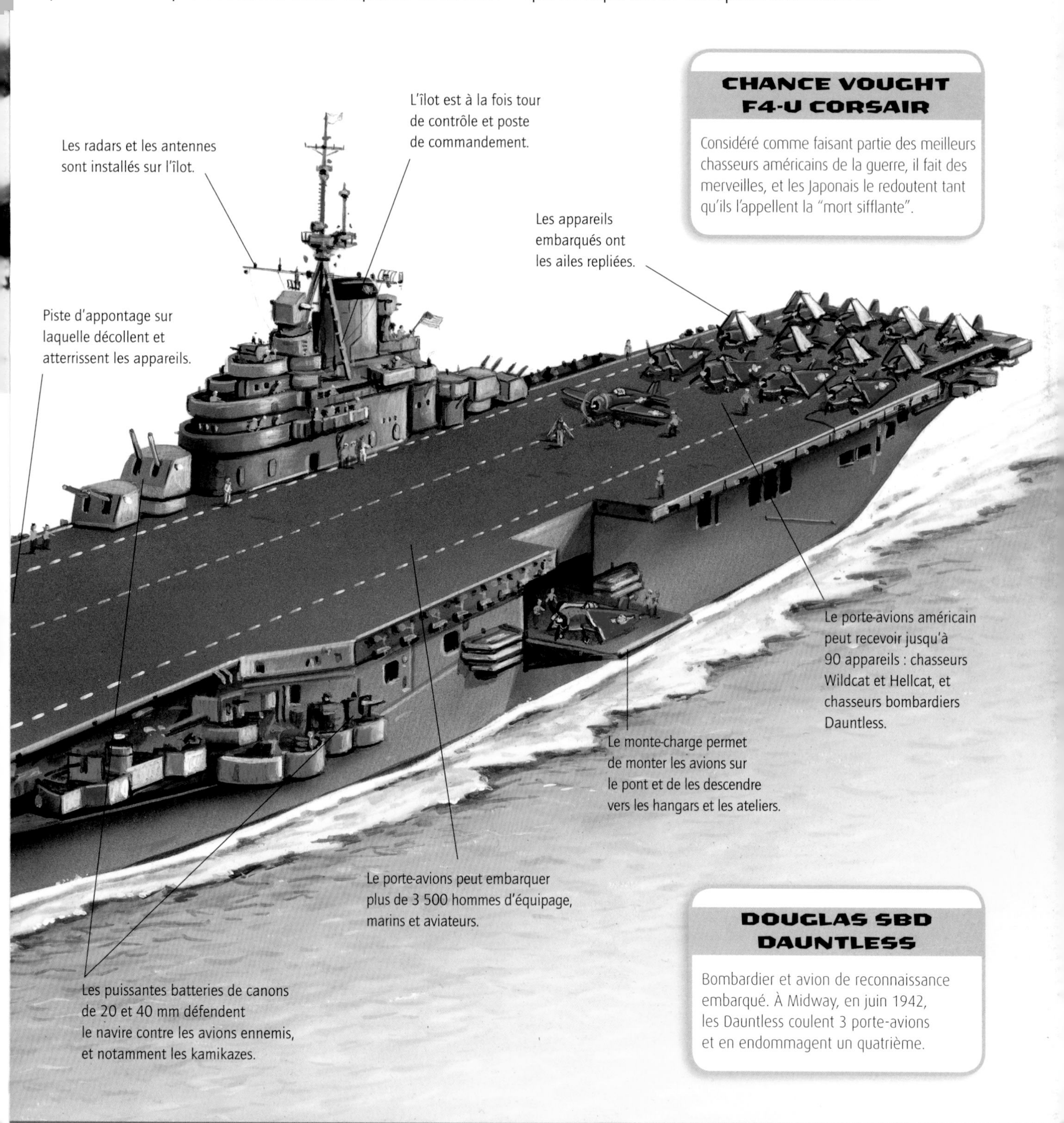

CHANCE VOUGHT F4-U CORSAIR

Considéré comme faisant partie des meilleurs chasseurs américains de la guerre, il fait des merveilles, et les Japonais le redoutent tant qu'ils l'appellent la "mort sifflante".

DOUGLAS SBD DAUNTLESS

Bombardier et avion de reconnaissance embarqué. À Midway, en juin 1942, les Dauntless coulent 3 porte-avions et en endommagent un quatrième.

27 mai 1943
Première réunion à Paris du Conseil national de la Résistance composé de mouvements de résistance, de partis politiques et de syndicats, présidé par Jean Moulin. Ce Conseil apporte son soutien au général de Gaulle.

mai 1943
Staline dissout le Komintern (IIIe Internationale communiste), organisation chargée de contrôler les partis communistes étrangers. Cette décision se veut rassurante pour les Alliés, mais elle n'empêchera cependant pas l'URSS* de poursuivre son contrôle.

La bataille de Stalingrad

Alors qu'à la fin de 1942, le monde entier est en guerre, c'est bien en Union soviétique, à Stalingrad, que se joue le tournant du conflit. Les armées soviétique et allemande s'y affrontent dans une gigantesque bataille qui mobilise toutes leurs forces.

8 et 9 septembre 1943
L'Italie capitule sans condition. Le lendemain, les troupes alliées débarquent à Salerne et à Tarente. Les soldats italiens sont désarmés par leurs anciens alliés allemands qui occupent aussitôt Rome.

25 octobre 1943
Les Japonais inaugurent le chemin de fer reliant la Thaïlande et la Birmanie (par la rivière Kwaï), qui doit les aider à envahir l'Inde plus tard. Pour ces travaux, 100 000 Asiatiques et 30 000 prisonniers occidentaux ont été mobilisés ; plus de la moitié en sont morts.

Stalingrad, le symbole

Stalingrad (actuel Volgograd) est une ville stratégique de 600 000 habitants qui s'étend le long de la rive ouest de la Volga *(voir carte p. 141)*. Cet important centre industriel et de communication est situé sur la route du pétrole du Caucase. Son nom signifie "ville de Staline". Elle est le symbole du communisme russe incarné par celui que Hitler veut abattre : Staline.

L'offensive allemande

En août 1942, la 6ᵉ armée du général allemand Paulus et la 4ᵉ armée blindée lancent une offensive contre Stalingrad. Le 5 septembre, la Wehrmacht* entre dans les faubourgs. Elle pilonne la cité et la réduit à l'état de ruines, que les Russes utilisent comme autant d'abris. Le 13, une furieuse bataille de rue s'engage. Le 22, les Allemands atteignent la Volga, mais ne contrôlent pas toute la ville. Mi-novembre, les premières glaces apparaissent sur le fleuve. La plus grande partie de la cité est aux mains des Allemands, et les Russes se retrouvent coincés dans les décombres entre la Wehrmacht et la Volga. Malgré d'énormes pertes, les Soviétiques réussissent à contenir les Allemands et à gagner du temps pour que les généraux préparent une vaste contre-offensive.

L'agonie de la 6ᵉ armée

Le 12 novembre 1942, l'Armée rouge attaque et taille en pièces les Roumains, alliés des Allemands, chargés de protéger la route du ravitaillement de Stalingrad. Les 300 000 soldats de Paulus sont encerclés dans la ville, sans nourriture ni munitions. Les ordres du Führer sont de tenir les positions, tandis que le général von Manstein doit briser l'encerclement et porter secours aux troupes de la 6ᵉ armée. L'offensive est vaine et l'étau russe se resserre. Le 8 janvier 1943, Paulus refuse un ultimatum soviétique lui proposant de se rendre. Mais deux semaines plus tard, il demande à Hitler l'autorisation de capituler, ce qui lui est refusé. Le 26, une attaque soviétique coupe les lignes allemandes en deux.

La victoire soviétique

Le 2 février 1943, Paulus capitule avec ses 94 000 hommes. Les Allemands dénombrent 140 000 tués. Les Soviétiques ont perdu 200 000 soldats et autant de civils. Les Allemands aventurés jusqu'aux contreforts du Caucase doivent reculer à Rostov pour éviter d'être coupés de leurs lignes. C'est la première grande défaite de la Wehrmacht. Le prestige de l'URSS*, de l'Armée rouge et de son chef, le maréchal Staline, grandit dans le monde entier. L'URSS s'engage alors dans la libération de son territoire. Dorénavant, l'initiative de la guerre change de main.

novembre 1943
Les troupes du général Juin débarquent en Italie. C'est l'occasion pour la nouvelle armée française de participer au combat aux côtés des Alliés, et pour le général de Gaulle d'imposer son pays comme puissance militaire.

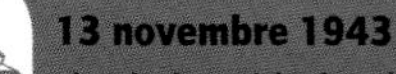

13 novembre 1943
L'amiral américain Nimitz entame la reconquête des îles du Pacifique central par les îles Gilbert. Il adopte la stratégie du "saut de mouton" en attaquant certains archipels (Marshall, Mariannes), mais en négligeant d'autres comme celui des Carolines.

Les armes de la guerre

Avec les chars et les avions, la guerre de 1939-1945 est celle du moteur et de la vitesse. Ces armes nouvelles n'ont qu'un seul but : détruire le plus d'ennemis possible.

Le fusil d'assaut allemand MP 43

Il est la première arme d'assaut, tirant soit coup par coup, soit en automatique (800 coups par minute). Idéal pour les combats de rue, il permet de tirer en rafales lors d'un assaut ou pour se dégager lors d'un encerclement. Après la guerre, il sera copié par toutes les armées du monde et notamment par l'Armée rouge qui fabriquera la célèbre Kalachnikov.

Le fusil américain Garand M1

Simple et fiable, il permet à l'armée américaine d'être la seule à aborder la Seconde Guerre mondiale avec un fusil semi-automatique (8 cartouches dans le chargeur). Le général américain Patton voyait dans le Garand le « meilleur outil de combat jamais conçu ».

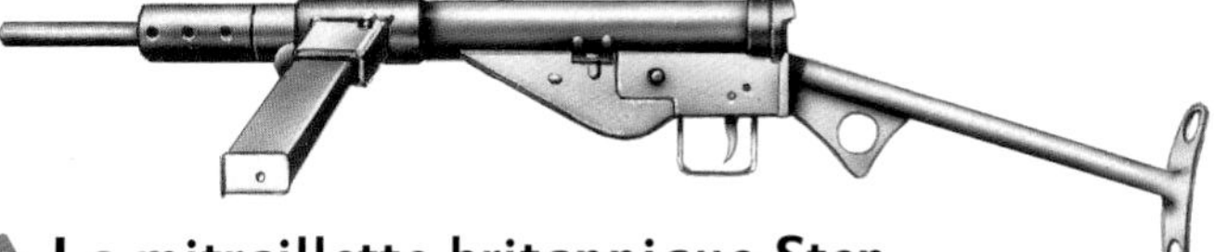

La mitraillette britannique Sten

De petite taille et légère, elle est très appréciée des commandos britanniques et des résistants français, à qui elle est parachutée en grand nombre. Facile et peu chère à fabriquer, simple à utiliser, cette arme est cependant fragile.

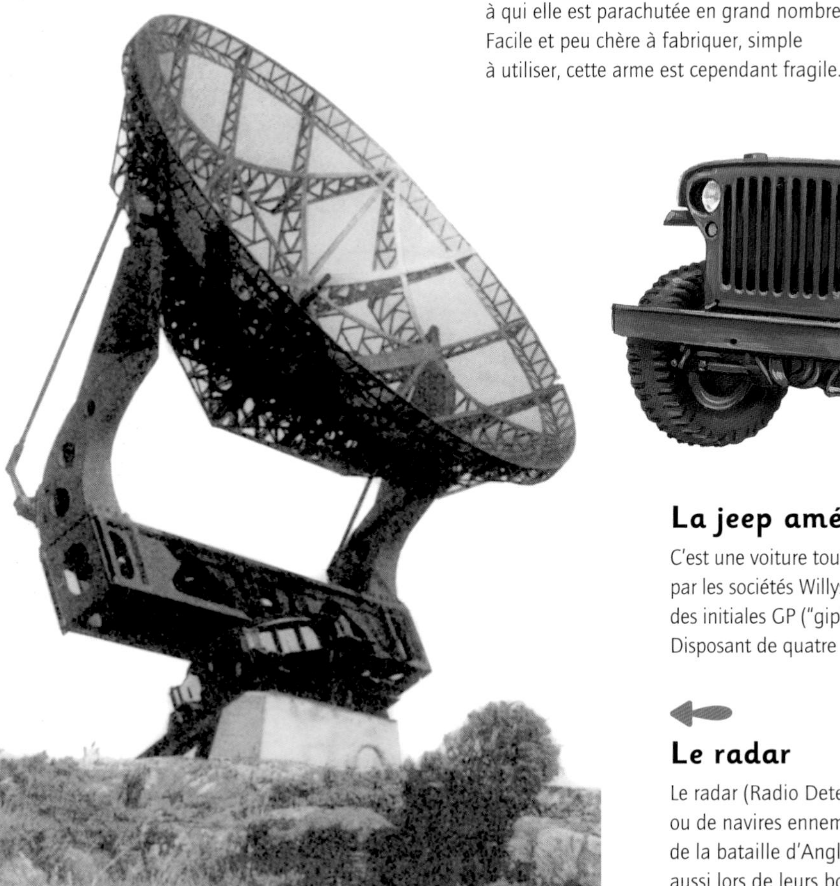

La jeep américaine

C'est une voiture tout-terrain construite pour l'armée américaine par les sociétés Willys et Ford. Son nom vient de la prononciation anglaise des initiales GP ("gipi") de *General Purpose*, signifiant "tout usage". Disposant de quatre roues motrices, cette voiture peut atteindre 70 km/h.

Le radar

Le radar (Radio Detection And Ranging) détecte la présence d'avions ou de navires ennemis par ondes électromagnétiques. Très employé lors de la bataille d'Angleterre pour alerter la RAF*, les Allemands l'utilisent aussi lors de leurs bombardements pour repérer leurs objectifs.

1er décembre 1943
La conférence de Téhéran – première rencontre entre Churchill, Roosevelt et Staline – se termine. Le débarquement en France et le déplacement des frontières polonaises vers l'ouest (pour que l'URSS* garde les territoires annexés en 1940) y sont entre autres décidés.

de décembre 1943 à janvier 1944
Les Soviétiques lancent de nouvelles offensives en Biélorussie, en Ukraine et en Crimée. Leningrad est libéré le 27 janvier après presque 900 jours d'un siège qui aura coûté la vie à plus de 630 000 habitants, morts de faim pour la plupart.

Les lance-roquettes russes

Surnommés "Katioucha" par les Russes et "orgues de Staline" par les Allemands, ces lance-roquettes de différents modèles sont montés sur des camions plates-formes. D'une portée de 9 km, les 16 roquettes peuvent détruire des chars et font des ravages dans les rangs allemands. Avec sa mobilité et sa terrible puissance de feu, le BM-13 est le meilleur lanceur de roquettes de la guerre.

Le char allemand Tigre II

Appelé aussi Tigre royal, il est le plus lourd (70 tonnes), le mieux protégé et le plus puissamment armé des chars de la guerre. Son canon de 88 mm à tir rapide surpasse en portée et en puissance les autres chars. Mais, défaut de ses qualités, avec ses 38 km/h seulement, il est lent et peu maniable.

Le char russe T-34

En inclinant le blindage du char T-34, les ingénieurs soviétiques ont conçu le premier char théoriquement à l'épreuve des obus. Avec son puissant canon de 85 mm, il peut atteindre 50 km/h sur une distance de 300 km. C'est l'un des meilleurs chars de la guerre, et les Allemands s'en inspireront pour leur fameux Panther.

Les fusées allemandes V1 et V2

Ces bombes volantes font partie de ce que les nazis appellent leurs "armes secrètes" destinées à changer l'issue de la guerre en 1944. Les V1 propulsent 830 kg de charge explosive à 600 km/h sur un rayon de 230 km. Les V2 *(ci-contre)* sont de véritables fusées propulsant 1 tonne d'explosifs avec une portée de 320 km et une vitessse de plus de 5 000 km/h ! Ce sont des machines complexes, de haute technologie et leurs concepteurs seront employés par les Américains après la guerre, notamment pour la conquête de l'espace.

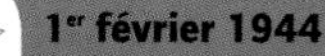

1er février 1944
Création des Forces françaises de l'intérieur* (FFI) qui regroupent l'ensemble des organisations armées de la Résistance : l'Armée secrète (AS), les Francs-Tireurs et Partisans* (FTP) et l'Organisation de la résistance armée (ORA).

de mars à juillet 1944
Suivant la route du Pacifique sud, le général américain MacArthur s'empare de la Nouvelle-Guinée, s'ouvrant ainsi la voie vers les Philippines.

La ville de Dresde ravagée après les bombardements de février 1945.

Les bombardements sur l'Allemagne

Qualifiés de "stratégiques" par les Alliés et de "terroristes" par les Allemands, ces bombardements détruisent les centres industriels, les installations portuaires et les voies de communication. Ils doivent aussi démoraliser et briser le courage de la population civile systématiquement visée.

Les populations civiles bombardées

Dès septembre 1939, les Allemands bombardent Varsovie, faisant des milliers de morts. Puis, le 14 mai 1940, Rotterdam est impitoyablement dévasté par un bombardement faisant plus de 1 000 victimes. Ce type d'attaque est renouvelé en 1940-1941 contre la Grande-Bretagne. Malgré les milliers de morts et de blessés, les Britanniques tiennent bon.

LE FEU TOMBE SUR DRESDE

Dans la nuit du 13 au 14 février 1945, la ville de Dresde est à son tour attaquée. Les Britanniques larguent 2 600 tonnes de bombes incendiaires. Les Américains, eux, renouvellent l'attaque de jour. La population, en partie composée de réfugiés de l'Est, mais aussi de prisonniers de guerre alliés, est engloutie dans un gigantesque incendie qui ravage la ville pendant plusieurs jours. On compte plus de 100 000 victimes.

En 1943, après un raid aérien, ces Berlinois sont désemparés devant leurs maisons détruites.

mars 1944
Les maquisards du plateau des Glières, en Haute-Savoie, sont attaqués par les Allemands et la Milice française. À quelques semaines du débarquement allié, un des maquis les plus célèbres de la Seconde Guerre mondiale est brisé.

de mai à juin 1944
Lors de leur offensive du mois de mai en Italie, les troupes françaises ont débordé la ligne Gustav par la montagne. La résistance allemande à Cassino est brisée, et les Alliés parviennent à Rome le 4 juin.

En 1944, la plupart des villes allemandes ne sont plus que des ruines.

LA FRANCE SOUS LES BOMBES

Les raids alliés visent des installations vitales pour les Allemands (usines et bases navales). Les sites industriels sont attaqués et notamment les usines Renault de Boulogne-Billancourt, dès mars 1942, puis les ports de Saint-Nazaire et du Havre à partir de mars 1943. Mais au total, 65 000 Français sont tués lors des bombardements aériens entre 1940 et 1945.

L'Allemagne en ligne de mire

Début 1942, les premiers bombardements britanniques frappent les ports de Lübeck et Rostock. Les raids américains commencent en janvier 1943. Dès mars, les attaques sont journalières. Alors que la RAF* bombarde de nuit, les avions américains n'hésitent pas à attaquer de jour : leurs bombes sont lâchées d'une plus haute altitude et les résultats sont moins précis, mais l'objectif n'est-il pas de noyer le territoire nazi sous un tapis de bombes ? Palliant l'absence d'un second front en Europe occidentale, ces bombardements soutiennent la progression soviétique et ravagent les villes d'Allemagne : des milliers de bombes sont lâchées sur Hambourg (40 000 morts durant 3 nuits en juillet 1943), Magdebourg, Wuppertal... En novembre 1943, Berlin est visé. On compte alors 6 000 victimes et 1,5 million de Berlinois sans logement.

Des résultats peu concluants

Malgré les 325 000 victimes allemandes, les résultats de ces bombardements ne sont pas à la hauteur des espérances des autorités militaires alliées : les usines allemandes continuent de fonctionner jusqu'en mai 1945 ; les convois ferroviaires acheminent toujours les Juifs vers les camps d'extermination qui, eux, ne sont jamais bombardés. Malgré des largages de milliers de tonnes de bombes, les raids massifs ont montré leurs limites : les bombardiers alliés sont décimés par la Flak*, la défense antiaérienne allemande. Les pertes sont lourdes en avions comme en pilotes.

LE B-17 FLYING FORTRESS

Il est resté comme l'un des plus célèbres bombardiers lourds de la Seconde Guerre mondiale. Ses 13 mitrailleuses de 12,7 mm sur les flancs, en tourelles dorsale et ventrale et dans le nez de l'appareil devaient permettre de repousser les chasseurs allemands, mais les pertes de B-17 furent nombreuses au-dessus de l'Allemagne.

De jour comme de nuit, la Flak abat un grand nombre d'appareils anglais et américains.

3 juin 1944
Formation du gouvernement provisoire de la République française par le général de Gaulle. À la veille de la libération, ce dernier souhaite apparaître comme le représentant légitime de la France.

6 juin 1944
D-Day en Normandie. Les forces alliées commandées par le général américain Eisenhower débarquent sur les plages de la Manche et du Calvados. Les FFI* entrent dans le combat pour la libération et l'insurrection gagne l'ensemble de la France.

La bataille du monte Cassino

En septembre 1943, les Anglo-Américains décident d'établir un front en Europe. L'Italie ayant signé un armistice* le 8 septembre, les Alliés débarquent le 9 dans le sud du pays avec pour objectif d'atteindre Rome. Les Allemands désarment leurs anciens alliés, occupent le pays et organisent une ligne de défense au nord de Naples : la ligne Gustav.

Le monte Cassino est la clé de la ligne de défense allemande dans le sud de l'Italie. Les Alliés doivent le prendre pour s'ouvrir la route de Rome.

Le monte Cassino

Les Alliés prennent Naples le 1er octobre et occupent tout le sud de l'Italie. Mais ils sont rapidement bloqués par la ligne Gustav, dont la clé est le monte Cassino (435 m d'altitude). À son sommet, un monastère surplombe la ville de Cassino et domine les vallées du Rapido et du Liri. Les Alliés sont obligés de s'enterrer sur une ligne continue. Les combats sont âpres, le ravitaillement n'arrive pas toujours, les canons tonnent sans cesse et écrasent les fantassins* dans leurs tranchées... mais les Alliés ne parviennent pas à forcer ce verrou.

Les Allemands, maîtres du terrain

L'offensive reprend en janvier 1944. Les Alliés (dont les Français) attaquent les Allemands sur trois fronts à partir du 17. Parallèlement, les Américains débarquent le 22 à Anzio, derrière les lignes allemandes, mais ne réussissent pas à enfoncer les défenses ennemies. Les assauts continuent en février puis en mars, dans la neige et le froid. Les bombardements alliés détruisent le monastère et la ville de Cassino. Les Néo-Zélandais, les Indiens puis les Polonais tentent d'escalader le mont, mais ce sont des échecs meurtriers.

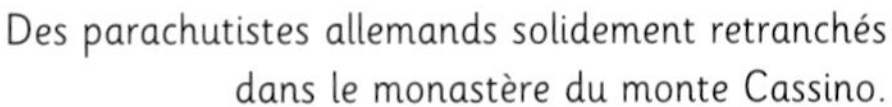

Des parachutistes allemands solidement retranchés dans le monastère du monte Cassino.

12 juin 1944
Au large d'Arromanches, d'immenses et ingénieux pontons de béton et d'acier commencent à être installés pour pallier le manque de ports. Les bateaux de ravitaillement pourront y décharger leurs cargaisons qui sera acheminée vers la côte grâce à des quais flottants.

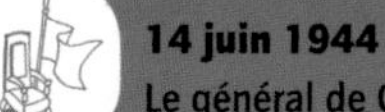

14 juin 1944
Le général de Gaulle débarque en Normandie et arrive à Bayeux, première ville française libérée. Il s'oppose à l'administration par les Américains des territoires français libérés, et réussit à imposer les commissaires de la République qu'il a lui-même nommés.

La ville de Cassino est réduite en cendres, mais sous le feu de l'artillerie et de l'aviation alliées, les Allemands résistent toujours.

Les Marocains dans les montagnes

En mai 1944, l'offensive reprend sur une manœuvre du général français Juin, qui veut éviter de heurter de front les défenses de Cassino. C'est par la montagne, là où l'ennemi ne s'y attend pas, qu'il faut porter l'effort pour encercler les Allemands. Les reliefs sont truffés de fortins, mais pour l'assaut, les Français comptent sur les goumiers du Maroc. Ces Berbères originaires des monts de l'Atlas, et dont les nombreux mulets transportent munitions et ravitaillement, forment une infanterie de montagne particulièrement redoutable.

Des tirailleurs nord-africains escaladent les montagnes italiennes pour prendre à revers le monte Cassino et ses défenseurs.

L'offensive française

Le 11 mai, à 23 h, un intense bombardement d'artillerie* déclenche l'offensive alliée. Le 12 mai, l'offensive doit être relancée et les Français réussissent à percer le front. Le 13 mai, les Marocains forment une brèche de 25 km de large sur 12 km de profondeur dans la ligne Gustav. Pendant ce temps, les Polonais butent toujours face aux défenseurs allemands de Cassino, alors que les Britanniques se maintiennent difficilement sur le Rapido et les Américains piétinent devant Santa Maria.

Un front secondaire

Le 17 mai 1944, la progression française menace d'encercler les défenses ennemies. Le maréchal allemand Kesselring ordonne à ses 90 000 soldats de se replier. Le même jour, les Polonais lancent l'assaut sur le monastère qui tombe enfin. Cette bataille a coûté 115 000 hommes aux Alliés et 60 000 aux Allemands. Le 23 mai, les Alliés réussissent une percée à Anzio où ils sont encerclés depuis janvier. Grâce à la vaillance des Français, la route de Rome est maintenant ouverte. Les Américains pénètrent dans la capitale italienne le 4 juin. Si, après le débarquement en Normandie, les Alliés considèrent ce front comme secondaire, les combats en Italie seront pourtant encore très meurtriers et dureront jusqu'à la fin de la guerre.

22 juin 1944
Grande offensive soviétique en Biélorussie et en Ukraine. La Vistule, l'un des principaux fleuves de la Pologne, ainsi que les frontières de la Roumanie et de la Hongrie sont atteintes en août.

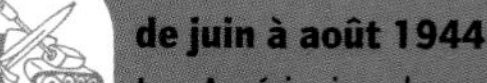

de juin à août 1944
Les Américains s'emparent de l'archipel des Mariannes, avec notamment l'île Saipan et l'île de Guam. L'archipel assure aux Américains une base aérienne pour bombarder le Japon.

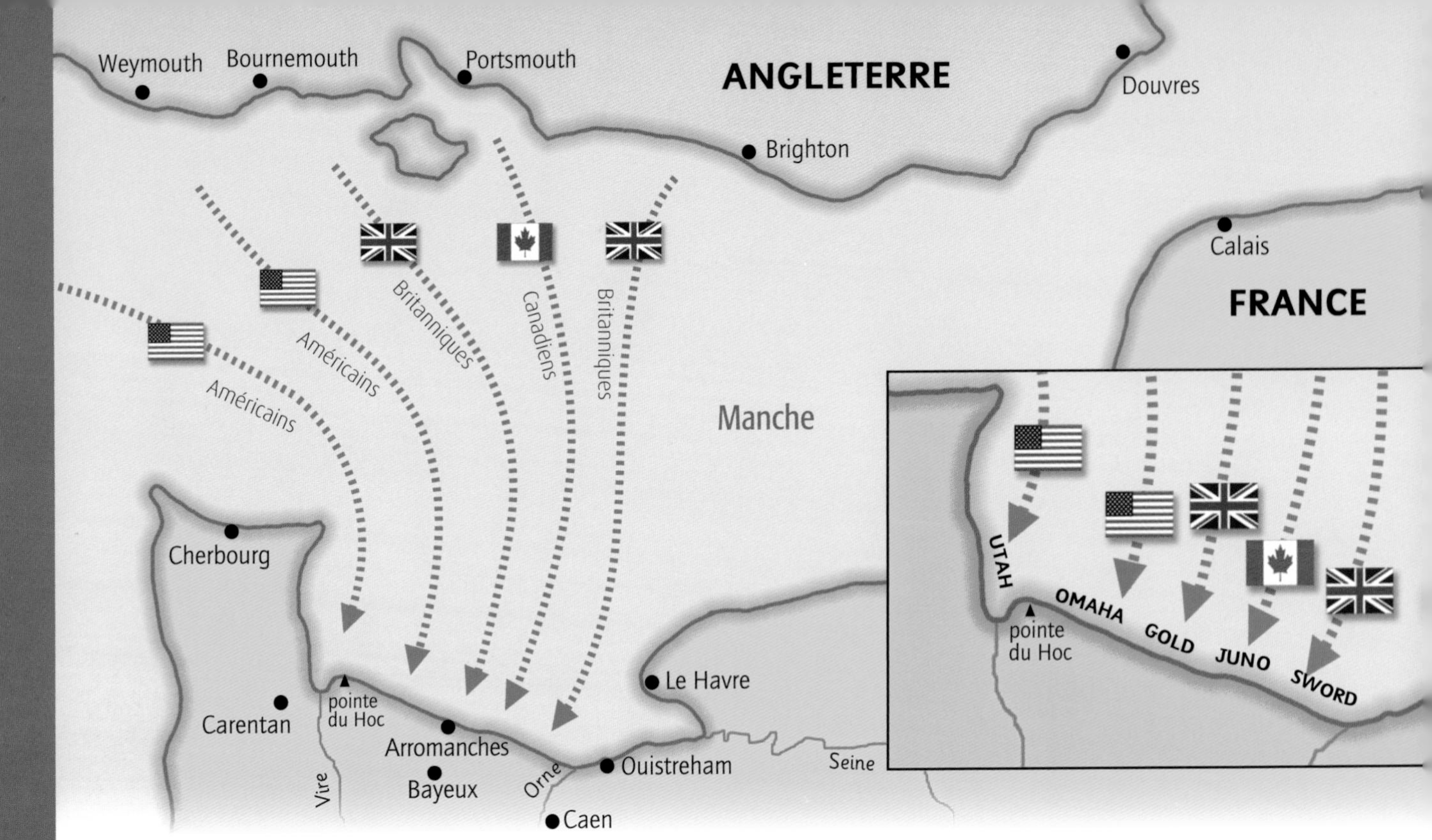

Le débarquement de Normandie

Au matin du 6 juin 1944, une formidable armada alliée de 6 400 navires croise au large de la Normandie. À 6 h du matin commence la plus gigantesque opération militaire jamais mise en place : l'opération Overlord.

Le plan

L'action doit se dérouler sur 5 plages représentant 80 km de côte : Utah et Omaha pour les Américains ; Gold, Juno et Sword pour les Anglo-Canadiens. L'assaut de 5 divisions permettra de former une tête de pont. Sur les côtés de cette zone, les troupes aéroportées (parachutistes et planeurs) doivent empêcher les contre-attaques. Le jour J, 50 000 hommes, 1 500 chars, 3 000 canons et 12 500 véhicules vont débarquer et être ravitaillés et soutenus par 5 autres divisions dans les 48 h qui suivent. Il est prévu qu'au jour J + 60 (le 6 août), 2 millions de soldats aient débarqué en Normandie. Les Alliés disposent d'un atout majeur : 7 500 avions. Les Allemands n'en ont que 300.

Des milliers de parachutistes sont largués pour tenir les voies de communication et empêcher l'envoi de renforts allemands.

juillet 1944
À Bretton Woods a lieu une conférence internationale. Des experts financiers préparent l'après-guerre et les conditions d'une paix durable. Ils instaurent le Fonds monétaire international pour assurer la stabilité des changes entre les différentes monnaies.

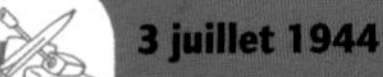

3 juillet 1944
Dans l'Isère, les nombreux maquisards concentrés sur le plateau du Vercors proclament la "République du Vercors". Cette poche de résistance est anéantie par les Allemands. De plus, le village de Vassieux est rasé et soixante-treize de ses habitants massacrés.

MESSAGE

Dans la soirée du 5 juin, les résistants français sont avertis de l'opération par des messages radio de la BBC. Parmi ceux-ci, les vers de Paul Verlaine : « Les sanglots longs des violons de l'automne bercent mon cœur d'une langueur monotone. »

Un contingent britannique débarque sur la plage de Sword. Il est entre 6 h 30 et 7 h 30 du matin.

Les préparations

Dans la nuit du 5 au 6 juin, un intense bombardement aérien et naval écrase les défenses côtières allemandes. Après minuit, des milliers de parachutistes sont largués avec pour objectif de s'emparer des ponts et des carrefours routiers. Mais beaucoup se retrouvent à des kilomètres des zones prévues. Malgré les mauvaises conditions météo, les premières forces amphibies alliées atteignent les plages normandes à 6 h 25. Dans la matinée, un millier de sabotages bloquent routes et voies ferrées et coupent les lignes téléphoniques, paralysant les communications allemandes et retardant l'arrivée des renforts vers la Normandie.

LE MUR DE L'ATLANTIQUE

En France, les côtes de la mer du Nord, de la Manche et de l'Atlantique sont truffées de fortins, de canons et de mitrailleuses, de fossés antichars, de mines et de barbelés. Pour empêcher les bateaux d'accoster sur les plages, les Allemands ont posé des mines, installé des poteaux de béton et des rails entrecroisés.

Dans les péniches

Le vent souffle fort, la pluie tombe à verse et les hommes sont malades. Derrière la brume, les côtes normandes apparaissent, bientôt les plages. La barge s'ouvre : les officiers poussent leurs hommes à débarquer rapidement. Les jeunes soldats tombent dans l'eau, tentent de gagner la plage sous le feu nourri des Allemands. Des camarades s'écroulent. Dans l'eau glacée, certains sont entraînés vers le fond par leur lourd équipement. Sur la plage, c'est la course vers les premières dunes pour se protéger.

Les soldats américains débarquent sur Omaha Beach sous le pilonnage intensif des défenses allemandes.

20 juillet 1944
Adolf Hitler est légèrement blessé dans un attentat contre son quartier général en Prusse orientale. La repression est féroce contre les officiers ayant pris part au complot. Le général Rommel, lui aussi impliqué, est contraint au suicide.

1er août 1944
À Varsovie, les 45 000 résistants de l'armée de l'intérieur s'insurgent. Les Russes, qui sont à quelques kilomètres de la capitale polonaise, refusent de les aider. Les Polonais sont écrasés, 250 000 habitants meurent lors des combats.

Sur les plages

C'est dans le froid et au milieu d'une mer démontée qu'une poignée de Français se joint à des milliers de jeunes soldats venus d'outre-Atlantique et d'outre-Manche pour débarquer sur le sol normand. Certains, comme à Utah ou à Sword, subiront peu de pertes, mais sur Omaha Beach, les Américains sont massacrés sur place.

Utah Beach

Sur Utah, la première vague d'assaut débarque à 6 h 30. Poussés par les courants, les hommes ont la chance de débarquer plus au sud, sur une petite plage peu défendue. Une tête de pont est établie de Sainte-Mère-Église à Sainte-Marie-du-Pont. Sur les 23 250 soldats américains débarqués, 200 sont tués.

Omaha Beach

Sur Omaha, les soldats débarquent à 6 h 30 sur une plage parsemée d'obstacles et sous un feu nourri. Plus de 70 % des soldats de la première vague d'assaut sont tués ou blessés. Les survivants mettent presque 2 h à sortir de l'eau et à prendre position sur la plage. C'est un massacre : la mer et la plage sont couvertes de corps. Malgré tout, dans la soirée, les Américains contrôlent une zone de 2 km de profondeur sur 8 km de large autour de Saint-Laurent.

Gold

Sur Gold, les Anglais débarquent à 7 h 25 à 5 km à l'est de l'endroit prévu. Ils prennent rapidement Bayeux et se dirigent sur Arromanches où doit être installé un port artificiel.

LA POINTE DU HOC

Sur la pointe du Hoc, 225 rangers américains prennent d'assaut la falaise où sont installés des canons dirigés sur les plages d'Utah et d'Omaha. Après de sanglants combats, ils escaladent des échelles de corde et arrivent au sommet pour s'apercevoir finalement que les Allemands ont retiré leurs canons.

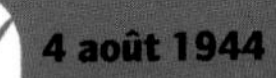

4 août 1944
Anne Franck, jeune juive allemande de 13 ans, est arrêtée avec sa famille réfugiée à Amsterdam. Déportée au camp de Bergen-Belsen, elle y mourra en 1945. Depuis juin 1942, elle décrivait dans son journal les terribles conditions de vie des Juifs victimes du nazisme.

20 août 1944
En Normandie, la poche de Falaise tenue jusqu'alors par les Allemands n'existe plus : la bataille de Normandie est gagnée par les Alliés. Ils peuvent se déployer d'une part vers le nord et les ports de la Manche, et d'autre part vers l'ouest et Paris.

Juno

Sur Juno, le mauvais temps retarde le débarquement qui ne commence qu'à 7 h 55 avec 15 000 Canadiens et 9 000 Britanniques. Malgré la perte de nombreux chars, Bernière-sur-Mer est libéré, puis Courseulles. Mais les Allemands réussissent à arrêter les Anglais à Douvres et empêchent la prise de l'aérodrome de Carpiquet, près de Caen.

Sword

Sur Sword, les Britanniques débarquent à 7 h 30. Les navires et avions alliés ont bombardé les défenses allemandes toute la nuit, mais les combats sont difficiles. Les 177 marins commandos français arrivent à Colleville-sur-Orne à 8 h 45 et parviennent à neutraliser les fortifications de Riva-Bella. Puis ils rejoignent à Bénouville les parachutistes et les commandos anglais qui ont réussi à s'emparer dans la nuit du pont Pegasus.

LA RÉUSSITE DU DÉBARQUEMENT

Au soir du jour J, 156 000 Alliés ont débarqué. Arromanches et Bayeux sont libérés. Les Américains ont perdu 6 603 soldats, les Anglais 3 000, les Canadiens 946. Au total, plus de 10 660 hommes sont tués, blessés, disparus ou prisonniers, alors que l'état-major en avait prévu 25 000. Même si les objectifs ne sont pas tous atteints, les Alliés ont réussi à établir une tête de pont longue de 56 km.

septembre 1944
L'URSS* déclare la guerre à la Bulgarie le 5. Le nouveau gouvernement bulgare, animé par les communistes, déclare la guerre à l'Allemagne le 9. La Roumanie, occupée par l'Armée rouge, signe un armistice* avec l'URSS le 12, puis attaque son ancien allié allemand.

du 17 au 26 septembre 1944
Pour lancer une offensive contre l'Allemagne, Montgomery prévoit de s'emparer des ponts sur le Rhin aux Pays-Bas grâce à des unités parachutistes. Les Alliés ne réussissent pas à prendre le dernier pont à Arnhem. Après un dur combat, ils capitulent.

Le débarquement de Provence

L'attaque de la "forteresse Europe" prévoyait un débarquement sur les côtes de la Provence pour prendre les Allemands en tenaille avec les troupes de Normandie, et accélérer ainsi la libération de la France. Les 15 et 16 août 1944, les Américains et l'armée française du général de Lattre de Tassigny débarquent entre Cavalaire et Saint-Raphaël.

Dans la nuit du 14 au 15 août 1944, près de 535 avions Dakota venus d'Italie larguent plus de 5 000 parachutistes. Ils sont essentiellement américains et anglais, mais aussi canadiens et français.

L'importance de la logistique

Une grande opération est prévue. Plusieurs milliers d'hommes vont rapidement débarquer sur les plages, pénétrer à l'intérieur des terres et recevoir du ravitaillement, des armes et des munitions. Les blindés suivront et soutiendront la progression de l'infanterie*. Les blessés doivent pouvoir être rapidement secourus. Tout ceci nécessite une logistique importante. Avec l'expérience acquise en Normandie, les Alliés espèrent pouvoir consolider rapidement leur tête de pont provençale et prendre les ports de Toulon puis de Marseille.

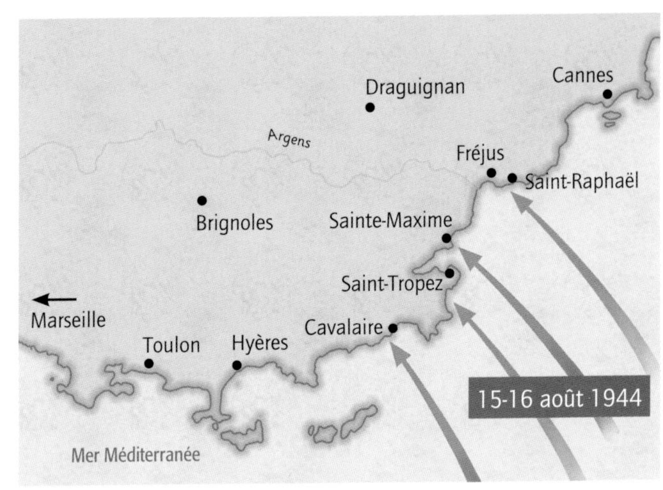

Le débarquement est un succès

La première vague débarque le 15 août avec un minimum de pertes. La résistance française joue tout de suite son rôle en renseignant les soldats américains et français, et en servant d'éclaireurs aux unités de première ligne. Dès les jours suivants, les divisions de la deuxième vague peuvent débarquer, renforçant ainsi le dispositif.

19 septembre 1944
La Finlande signe un armistice* avec l'URSS* à Moscou. Elle se voit obligée de céder plus de 42 000 km² de territoire à son grand voisin.

septembre 1944
La Slovaquie se soulève contre les Allemands qui occupent le pays depuis le mois d'août. L'insurrection est menée par des partisans* armés et encadrés par les Soviétiques.

Des goumiers marocains débarquent sur les côtes de Provence.

La deuxième phase de l'opération

Elle consiste à libérer la côte méditerranéenne afin de disposer des principaux ports pour acheminer les renforts. Il faut ensuite remonter le plus vite possible le long de la vallée du Rhône pour faire la jonction avec les unités alliées venant de Normandie. Les importants ports de Toulon et de Marseille semblent difficiles à prendre. Malgré cela, les unités américaines remontent vers le nord dès le 17 août, et prennent en chasse les forces allemandes qui se replient vers la vallée du Rhône. Dans le même temps, les troupes françaises longent le littoral pour libérer les ports.

L'ARMÉE D'AFRIQUE

Spahis (cavaliers), goumiers et tirailleurs venus d'Afrique noire, d'Algérie, de Tunisie ou du Maroc : ils sont des dizaines de milliers de combattants dans l'armée B du général de Lattre de Tassigny à être originaires de l'empire. Toulon et Marseille, comme plus tard Lyon, Belfort ou Colmar, sont libérés par ces hommes venus de l'autre côté de la Méditerranée. En 1944, ils sont près de 250 000 sur un total de 535 000 combattants, auxquels il convient de rajouter près de 180 000 Français, hommes et femmes, d'Afrique du Nord.

La libération de la Provence

Le 23 août, les résistants s'insurgent à Marseille. Mais la garnison allemande est forte de plusieurs milliers de soldats. Les Français de la 3e division algérienne et de la 5e division blindée viennent à temps soutenir les FFI*. Les Allemands sont tenaces, mais le 26 août, Marseille est libéré. Après de violents combats, Toulon est également libéré le 26 août, avec douze jours d'avance sur le plan initial. Remontant la vallée du Rhône au milieu de la joie populaire, les résistants français et les soldats alliés libèrent le Sud-Est de la France.

Des unités américaines et françaises progressent en Provence au milieu de la liesse populaire.

fin septembre 1944
Le black-out sur la Grande-Bretagne commence à être levé. Peu à peu, les rideaux laissant passer la lumière réapparaissent aux fenêtres, les lampadaires sont rallumés dans la rue, les voitures retrouvent leurs phares.

5 octobre 1944
Une loi entérine l'ordonnance d'Alger du 21 avril accordant le droit de vote aux femmes. Celles-ci voteront pour la première fois aux élections municipales du 29 avril 1945.

La libération de la France

Après la victoire de la bataille de Normandie, les Alliés progressent rapidement jusqu'à la Seine. Pendant ce temps, la réussite du débarquement en Provence leur permet de remonter le long du Rhône. La joie de la Libération envahit soudain le pays.

Le 26 août, la foule des Parisiens acclame le général de Gaulle qui descend les Champs-Élysées.

Les combats des FFI

Dès le jour J, les résistants français exécutent les plans de sabotage prévus par les Alliés. Dans toute la France, des milliers d'hommes rejoignent les Forces françaises de l'intérieur* (FFI) et les maquis pour prendre part aux combats libérateurs. En Bretagne, ils sont près de 20 000 à lutter contre les Allemands. Dans le Sud-Ouest, malgré une terrible répression, les résistants libèrent Toulouse, Limoges... Les maquis du mont Mouchet (Auvergne) et du Vercors (Drôme) immobilisent de nombreux Allemands incapables de rejoindre les fronts de Normandie ou de Provence.

Des FFI parisiens prennent pour cible des tireurs allemands embusqués.

12 octobre 1944
Les Allemands quittent Athènes libérée par les Britanniques. Une guerre civile débute alors, opposant le gouvernement de Georges Papandréou et les communistes. Elle prendra fin en août 1949. Les communistes seront écrasés.

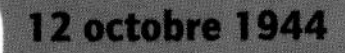

23 octobre 1944
Les Alliés reconnaissent le gouvernement provisoire de la République française du général de Gaulle. La France peut enfin s'imposer comme une grande puissance.

Le 26 août, à l'Hôtel de ville de Paris, les derniers Allemands tirent sur la foule venue accueillir ses libérateurs.

LE MASSACRE D'ORADOUR-SUR-GLANE

Le 10 juin 1944, pour réprimer et se venger des maquisards qui les harcèlent, 120 soldats SS* de la division "Das Reich" choisissent d'incendier le village d'Oradour-sur-Glane, en Haute-Vienne. Ils assassinent 642 habitants : les hommes sont fusillés, tandis que les 246 femmes et 207 enfants sont brûlés vifs dans l'église.

Paris libéré

Paris n'est pas un objectif militaire pour les Américains. Pourtant, l'insurrection éclate le 18 août sur l'initiative des FFI commandés par le colonel Rol-Tanguy, et la ville est le siège de violents combats. Hitler donne l'ordre au général von Choltitz, commandant la place, de brûler Paris. De leur côté, les Américains autorisent le général Leclerc et la 2e division blindée à avancer seuls pour soutenir les insurgés. Le 24 août, les soldats français entrent dans la capitale et le 25 août, von Choltitz signe, avec le général Leclerc, le texte de capitulation. Le 26, le général de Gaulle, acclamé par la foule, dépose une gerbe sur la tombe du soldat inconnu. La France a libéré et retrouvé sa capitale.

L'ÉPURATION

La libération de la France s'accompagne d'une vague d'épuration menée par des groupes se réclamant de la Résistance. Il s'agit de juger, parfois d'éliminer, les Français qui ont collaboré avec les Allemands. C'est souvent l'occasion de se venger et de régler des comptes personnels.

La joie de la Libération

Après quatre années d'occupation, la Libération est un grand moment de joie. Les soldats alliés libérateurs sont submergés par les acclamations, les fleurs et les embrassades. Les Américains distribuent du chocolat et des chewing-gums aux enfants, les drapeaux nazis sont retirés. Interdits par les Allemands et par Vichy, des bals sont improvisés sur les places des villages.

Les éléments de la 2e division blindée sont acclamés par la population tout le long de leur progression.

27 octobre 1944
La flotte américaine remporte la bataille du golfe de Leyte, aux Philippines. Le général MacArthur envisage alors de s'emparer de tout l'archipel et de Manille, sa capitale.

31 décembre 1944
Alors que le gouvernement polonais est en exil à Londres depuis 1939, les Soviétiques forment un gouvernement provisoire à Lublin, à l'est de la Pologne. Il sera reconnu par les Alliés.

Victoires à l'Ouest

Depuis les victoires en Normandie et en Provence, la progression des Alliés en France et en Belgique s'effectue à un rythme soutenu. En novembre 1944, les Alliés atteignent le Rhin et envisagent une prochaine offensive sur le cœur industriel du Reich* : la Ruhr.

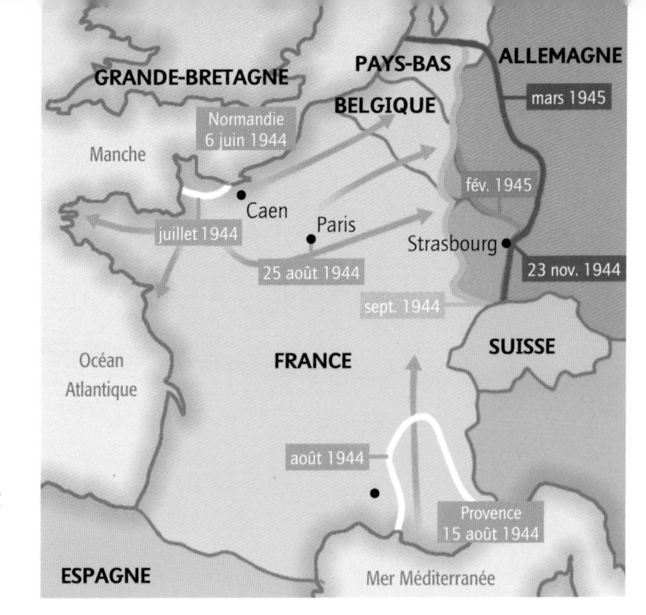

Progression des armées alliées, de juin 1944 à mars 1945 : de la Normandie à l'Allemagne.

La bataille des Ardennes

Pour arrêter la progression alliée, Hitler mobilise ses maigres réserves pour l'attaque de la dernière chance dans les Ardennes. Le 16 décembre 1944, les Allemands réussissent une percée de plus de 50 km dans les lignes américaines. Eisenhower songe à se replier et à abandonner Strasbourg, mais les Français défendent coûte que coûte la capitale alsacienne que Leclerc a libérée le 23 novembre. À Bastogne, les deux divisions américaines repoussent toutes les attaques allemandes et, le 26 décembre, une colonne de la 3e armée du général Patton brise l'encerclement de la ville. Le 20 janvier 1945, de Lattre relance son offensive dans le sud de l'Alsace toujours occupée.

L'échec allemand

L'hiver 1944-1945 est très rude. À la fin du mois de janvier, après de sanglants combats dans la neige, les Américains repoussent les Allemands à leur point de départ et entament leur entrée en Allemagne. Le "dernier coup de dé" de Hitler n'aura fait que retarder les Alliés, mais le bilan est terrible : 8 700 soldats américains ont été tués, 45 000 blessés, 22 000 portés disparus. Les Anglais déplorent la perte de 1 400 de leurs hommes. Quant aux Allemands, 12 652 de leurs soldats sont tués, 38 600 blessés et 30 582 portés disparus. Ces hommes et l'équipement perdu dans la bataille des Ardennes vont cruellement manquer aux Allemands pour la défense finale de leur territoire.

12 janvier 1945
Profitant de l'offensive allemande dans les Ardennes, les Soviétiques lancent une attaque sur l'Oder – un fleuve d'Europe centrale –, et se rapprochent dans le même temps de Berlin.

27 janvier 1945
Le camp de concentration et d'extermination d'Auschwitz est libéré par l'Armée rouge. Dans le camp d'extermination d'Auschwitz II-Birkenau, 970 000 Juifs ont été assassinés en trois ans.

Une escadrille de chasseurs-bombardiers P-47 américains attaque une colonne de chars Tigre allemands dans une ville en ruine.

L'assaut final contre le Reich

L'invasion de l'Allemagne est imminente. En mars 1945, les Alliés découvrent, à Remagen, un pont intact sur le Rhin. À la fin du mois, les Britanniques au nord, les Américains au centre et les Français au sud franchissent le fleuve. Dès le 2 avril, la Ruhr est prise en tenaille par les Anglais et les Américains. Plus de 400 000 Allemands sont faits prisonniers. Les Britanniques sont sur l'Elbe et les Américains prennent Leipzig le 14 avril. Les Français, quant à eux, occupent Stuttgart puis Ulm. Le 25 avril, les Américains opèrent leur jonction avec les Soviétiques sur l'Elbe. Estimant que la ville n'a pas d'intérêt militaire, Eisenhower laisse Berlin aux Soviétiques.

Sous la neige et dans le froid particulièrement vif de l'hiver 1944-1945, des artilleurs américains mettent leur canon en batterie.

La guerre en Europe touche à sa fin

Sur le front ouest, les armées allemandes capitulent les unes après les autres : le 29 avril en Italie, le 4 mai au Danemark et aux Pays-Bas. Ce même jour, la 2e DB du général Leclerc s'empare du Nid d'Aigle, la résidence de Hitler dans les Alpes bavaroises. L'invasion de l'Allemagne a coûté cher : 6 570 Américains, 15 628 Anglo-Canadiens, 90 000 Allemands tués et blessés (et 259 000 prisonniers). Les Français ont subi plus de 5 300 pertes, dont 1 200 morts.

du 4 au 11 février 1945
À la conférence de Yalta, en Crimée, un accord est obtenu sur les nouvelles frontières en Europe, notamment celles de la Pologne. La France se voit accorder une zone d'occupation en Allemagne et une place au sein de la nouvelle Organisation des Nations unies.

début février 1945
Colmar et l'Alsace sont définitivement libérés par une offensive de l'armée du général de Lattre de Tassigny. Les Allemands sont repoussés au-delà du Rhin.

La bataille de Berlin

Depuis leur victoire à Stalingrad, les Soviétiques ont libéré leur patrie et progressent vers l'Allemagne. Pour mobiliser son armée et son peuple, Hitler proclame que l'Allemagne est le dernier bastion contre l'expansion communiste. En pénétrant sur le territoire allemand, les soldats soviétiques n'ont qu'une idée : se venger des atrocités commises par les nazis en URSS* depuis 1941.

Le 2 mai 1945, un sergent russe, Kovaliov, soutenu par son camarade, plante le drapeau soviétique sur le Reichstag tandis que Berlin brûle.

L'EFFORT DE GUERRE SOVIÉTIQUE

Pour gagner la "Grande Guerre patriotique", des millions d'hommes et de femmes de toutes les nationalités de l'URSS, sont sous les drapeaux. Les usines de guerre tournent jour et nuit. Afin de venger leurs millions de morts, les Soviétiques s'unissent autour de Joseph Staline, dont le prestige international s'accroît avec les victoires de l'Armée rouge.

Médaille soviétique commémorative de la prise de Berlin, frappée au verso de la date du 2 mai 1945.

Le "rouleau compresseur" soviétique

Durant l'été 1944, une gigantesque offensive russe engage 600 divisions d'infanterie et 110 divisions blindées, soit près de 10 millions d'hommes. L'URSS est entièrement libérée en août; la Roumanie, la Bulgarie et la Finlande sont envahies. Varsovie espère recevoir l'aide russe et s'insurge, mais les Soviétiques ne bougent pas et les Polonais sont écrasés par les nazis. Après un ralentissement pendant l'hiver, la progression soviétique reprend en février 1945, alors qu'à l'Ouest les Alliés n'ont toujours pas franchi le Rhin. Staline presse ses généraux : il veut s'emparer de Berlin avant les Occidentaux. Il engage 2 500 000 hommes dans la bataille. Le 20 avril 1945 (jour de l'anniversaire du Führer), Berlin est encerclé. Hitler se réfugie dans son bunker sous les jardins de la Chancellerie.

février 1945
Les bombardements sur le Japon s'intensifient. Construites en bois, les villes japonaises sont dévastées et l'activité des grands ports est très réduite.

4 mars 1945
Après une bataille d'un mois, Manille tombe aux mains du général MacArthur. Dans cet affrontement, 100 000 civils philippins trouvent la mort.

Le chaos

À Berlin, les forces allemandes ne comptent plus que 60 000 soldats, dont le Volkssturm. Cette réserve composée d'hommes âgés, d'enfants et de malades est mal équipée, possède peu de munitions et n'est soutenue par aucun blindé. La capitale n'est plus qu'une ruine envahie par des centaines de milliers de réfugiés, de prisonniers de guerre et de travailleurs forcés qui ont échappé à leurs gardiens. Sans logement, eau ni nourriture, dormant dans la rue, les civils subissent les feux des deux parties, et les exactions des soldats soviétiques qui violent les femmes et pillent les rares maisons encore debout.

Victoire à Berlin !

Le 22 avril, Berlin est totalement encerclé. Deux jours plus tard, les premiers Soviétiques pénètrent dans la ville, tandis qu'à Torgau, sur l'Elbe, ils font la jonction avec les Américains : l'Allemagne est coupée en deux. Les Berlinois luttent avec l'énergie du désespoir. Chaque immeuble, chaque maison sont défendus. Le 26 avril, la prise de l'aéroport de Tempelhof prive les troupes allemandes du peu de soutien que la Luftwaffe* pouvait encore leur apporter. Le 30 avril, Hitler se suicide dans son bunker. Le soir même, les soldats de l'Armée rouge lancent l'assaut contre les défenseurs du Reichstag, le Parlement allemand.

Progression des Soviétiques, de juillet 1943 à mars 1945 : de Koursk à Berlin

La capitulation allemande

Le 1er mai 1945, le commandant de la garnison de Berlin capitule. Les Soviétiques poursuivent cependant le combat encore deux jours pour anéantir les dernières poches de résistance. Les 7 et 8 mai, à Reims puis à Berlin, les Allemands signent l'acte de capitulation devant les représentants alliés. La Seconde Guerre mondiale est terminée en Europe.

Dans les rues de Berlin, des prisonniers allemands sont soignés en attendant leur transfert vers des camps en URSS, d'où seuls quelques-uns reviendront.

9 mars 1945
Redoutant une offensive des Français contre leurs bases en Indochine (actuel Viêt Nam), les Japonais attaquent par surprise les garnisons françaises.

mars-avril 1945
Un gouvernement favorable aux Soviétiques s'impose en Roumanie. En Tchécoslovaquie, le gouvernement jusque-là en exil à Londres s'installe en Slovaquie occupée par l'Armée rouge. Les communistes y occupent de nombreux postes ministériels.

Derniers combats dans le Pacifique

Depuis la fin de 1942, progressant par les Philippines à l'est et par les îles de Tarawa et Guam au centre, les Américains et les Britanniques ont repris le terrain perdu face aux Japonais. Négligeant certains atolls, ils en conquièrent d'autres pour y installer leur matériel, leurs ports et leurs aérodromes.

Sur Iwo Jima dévastée, les marines tentent de déloger les derniers défenseurs japonais.

Dans l'enfer de la jungle

Les Philippines, la Birmanie, la Malaisie, les îles de Java, de Bornéo et de Nouvelle-Guinée sont un enfer pour les Alliés. Les marches sont longues et épuisantes, les pistes boueuses et envahies par une épaisse végétation, et l'incessant harcèlement des moustiques ne fait qu'ajouter à la difficulté de se mouvoir dans l'humidité et la chaleur. La malaria fait plus de victimes que les combats. Pourtant, petit à petit, aidés par les résistants malais, philippins ou birmans, les soldats britanniques, australiens et américains parviennent à prendre le dessus. Leur endurance et leur capacité d'adaptation surprennent les Japonais qui ont eu le tort de sous-estimer leurs adversaires.

Iwo Jima, "l'île forteresse"

En octobre 1944, la flotte japonaise est anéantie à Leyte, aux larges des Philippines. Pour défaire le Japon, les Américains doivent ensuite s'emparer des îles d'Iwo Jima et d'Okinawa situées à moins de 1 200 km du Japon, où ils pourraient installer leur aviation pour soumettre le Japon à un bombardement systématique. Le 19 février 1945, 30 000 marines débarquent sur l'île d'Iwo Jima. À l'intérieur des terres, camouflés dans d'innombrables galeries souterraines et dans des casemates, les Japonais imposent aux marines les combats les plus sanglants de leur histoire. La conquête du mont Suribachi coûte la vie à 6 000 hommes, mais le 23 février, la bannière étoilée flotte sur la montagne. Les troupes américaines doivent cependant attendre la fin mars avant de contrôler totalement l'île. Sur une garnison de 21 000 hommes, seuls 216 Japonais sont faits prisonniers : les autres préfèrent se sacrifier... pour l'empereur.

Les péniches de débarquement se dirigent vers les plages de l'île d'Iwo Jima, le 19 février 1945.

mars 1945
Le Rhin est franchi par les armées alliées. Les Américains s'emparent d'un pont le 7 mars. Les Britanniques franchissent le fleuve le 23 mars, et les Français le 31.

12 avril 1945
Mort du président Franklin Delano Roosevelt (qui avait été élu pour la quatrième fois en novembre 1944). Il est remplacé par le vice-président Harry Truman à qui il reviendra de prendre la décision d'utiliser la bombe atomique contre le Japon.

Les Boeing B-29 basés sur les îles Mariannes, à Iwo Jima et Okinawa, vont mettre le Japon à genoux.

LES KAMIKAZES

Le 19 octobre 1944, au nord des Philippines, 20 pilotes japonais d'une vingtaine d'années, précipitent leurs appareils bourrés d'explosifs sur les navires américains. Le but est de gagner du temps en immobilisant les porte-avions. S'ils ne donnent pas la victoire à leur pays, ces pilotes volontaires au suicide, appelés kamikazes, démontrent leur volonté de se défendre jusqu'au bout.

Le Japon sous les bombes

Les bombardements américains contre le Japon ont débuté en 1944. Mais à partir de mars 1945, depuis les îles Mariannes puis celle d'Iwo Jima, ils se multiplient sur les grandes villes de l'archipel (Tokyo, Osaka, Kobe). Les bombes incendiaires font des ravages sur les maisons japonaises en bois et des centaines de milliers de victimes périssent dans les flammes.

Okinawa

Le 1er avril 1945, 50 000 marines débarquent sur les plages d'Okinawa, à 500 km des côtes japonaises. Les combats sont féroces. Fin juin, l'île est entre leurs mains. Les soldats japonais comptent 110 000 tués. Plus de 100 000 civils meurent également dans les combats ou préfèrent le suicide à une reddition honteuse. Les marines comptent 7 600 morts et 31 807 blessés. Les batailles d'Okinawa et de Iwo Jima ont montré aux Américains la détermination des Japonais à défendre leur pays et leur font craindre les conséquences d'un débarquement sur l'archipel nippon.

À Okinawa, en avril 1945, comme à Iwo Jima, les marines doivent se battre contre des soldats japonais qui luttent avec acharnement et refusent de se rendre.

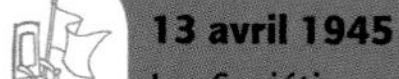

13 avril 1945
Les Soviétiques entrent dans Vienne. L'Autriche va être divisée en quatre zones d'occupation entre les Britanniques, les Américains, les Soviétiques et les Français. Elle retrouvera son entière souveraineté en 1955.

28 avril 1945
Arrêté par des résistants, Mussolini est exécuté à Dongo avec sa maîtresse Clara Petacci. Leurs corps sont ensuite exposés à Milan.

L'arme atomique

Depuis juillet 1945, le président Truman sait qu'il dispose d'une arme d'une puissance inimaginable : la bombe atomique. Le 26 juillet, il adresse un ultimatum aux Japonais : se rendre sans condition ou subir le feu de cette nouvelle arme.

Enola Gay

Après Okinawa, les Japonais savent qu'ils vont perdre la guerre. Mais en raison de l'esprit de sacrifice qui anime cette population et ses 3 millions de soldats, les Américains estiment que l'archipel peut tenir encore deux ans. Le président Truman, successeur de Roosevelt, est décidé à utiliser la bombe. L'ultimatum est rejeté par les Japonais le 28 juillet. Le colonel Paul Tibbets, pilote de bombardier basé sur l'île de Tinian dans les Mariannes, reçoit alors l'ordre d'utiliser l'arme atomique dès que la météo le permettra. Le 6 août 1945, vers 2 h du matin, le B-29 *Enola Gay* décolle à destination d'Hiroshima. Dans ses soutes, une seule bombe : 4 tonnes, 3,50 m, 75 cm de diamètre. On l'a baptisée "Little Boy".

Little Boy est larguée

Le 6 août 1945, une journée semble-t-il banale commence pour les 250 000 habitants d'Hiroshima. À 8 h 15, Little Boy est larguée. Cinquante-trois secondes plus tard, elle explose à 600 m au-dessus d'Hiroshima et un énorme nuage s'élève prenant la forme d'un gigantesque champignon. Au sol, dans un rayon de 4 km, une boule de feu de plusieurs milliers de degrés réduit en cendres la ville et ses habitants. Une onde de choc de plus de 1 000 km/h ravage tout et transporte sur des kilomètres les radiations nucléaires responsables des cancers détectés chez les survivants. Au total, 80 000 personnes meurent et 70 000 sont blessées, dont un grand nombre, gravement brûlé, ne survivra que quelques jours. Le Japon refusant toujours de capituler, Nagasaki est à son tour rayé de la carte par une bombe nucléaire le 9 août ; 70 000 Japonais sont tués.

Une reddition sans condition

Le 10 août, le gouvernement japonais accepte les conditions des Alliés, mais demande que l'empereur ne soit pas déchu. Le 15 août 1945, à la radio, l'empereur Hirohito s'adresse à son peuple qui n'avait jamais entendu le son de sa voix : « il faut accepter l'inacceptable, dit-il, le Japon doit capituler ». Le 2 septembre 1945, les délégations japonaises et alliées signent sur le cuirassé *Missouri,* dans la rade de Tokyo, la capitulation sans condition du Japon, mettant un terme à la Seconde Guerre mondiale.

30 avril 1945
Encerclés dans le bunker de la chancellerie du Reich* à Berlin, Adolf Hitler et sa femme Eva Braun se suicident. Hitler a désigné l'amiral Dönitz pour lui succéder à la tête du Reich et de l'armée.

3 mai 1945
Les Britanniques reprennent Rangoon, capitale de la Birmanie. L'empire des Indes n'est plus menacé et les Anglais peuvent rétablir les liaisons terrestres avec les Chinois de Tchang Kaï-Chek.

5 mai 1945
La 2e division blindée du général Leclerc parvient jusqu'au Nid d'Aigle d'Adolf Hitler, à Berchtesgaden, dans les Alpes bavaroises. Le prestige de cette division survivra à Leclerc, qui meurt le 28 novembre 1947 dans un accident d'avion, en Algérie.

8 mai 1945
À Berlin, au quartier général des forces soviétiques, le général Keitel signe devant le maréchal Joukov et le maréchal britannique Tedder la capitulation sans condition de la Wehrmacht*. Les généraux français et américain de Lattre et Spaatz sont témoins.

Les procès de la Seconde Guerre mondiale

Dès novembre 1943, les Soviétiques, les Américains et les Britanniques avaient décidé de livrer à la justice les criminels de guerre. Le 8 août 1945, les Alliés réunissent un tribunal à Nuremberg pour juger les Allemands. En avril 1946, un tribunal est formé à Tokyo pour juger les Japonais.

Le procès de Nuremberg

Du 20 novembre 1945 au 1er octobre 1946, à Nuremberg, le tribunal militaire international juge 24 dirigeants et 8 organisations nazis accusés de crimes contre la paix (préparation et incitation à des guerres d'agression), de crimes de guerre et, nouvelle notion juridique, de conspiration contre l'humanité . Le tribunal définit ainsi le crime contre l'humanité : « Assassinat, extermination, réduction en esclavage, déportation et tout autre acte inhumain commis contre toute population civile, avant ou pendant la guerre, ou bien les persécutions pour des motifs raciaux ou religieux ».

Les accusés. Rangée du milieu, de gauche à droite : Göring, Hess, von Ribbentrop, Keitel, Kaltenbrunner, Rosenberg, Frank, Frick, Streicher, Funk et Schacht. Au-dessus, de gauche à droite : Dönitz, Raeder, von Schirach, Sauckel, Jodl, von Papen, Seyss-Inquart, Speer, von Neurath et Fritzsche.

Les condamnations

Le 1er octobre, 12 nazis sont condamnés à mort, dont Göring, maréchal de la Luftwaffe* (qui se suicide la veille de l'exécution), Ribbentrop, ministre des Affaires étrangères, Kaltenbrunner, responsable de la mise en place de la "solution finale", Keitel, commandant suprême de la Wehrmacht*. Ils sont pendus le 16 octobre 1946 à Nuremberg. Quant aux autres chefs nazis, 3 sont condamnés à la prison à perpétuité, 4 à des peines allant de 10 à 20 ans de prison, et 3 sont acquittés.

John Wood, le bourreau, sur la potence avec laquelle il va exécuter les condamnations à mort prononcées à l'encontre des criminels de guerre du régime nazi.

8 mai 1945
Dans le Constantinois, en Algérie, une insurrection nationaliste* est réprimée dans le sang par l'armée française et fait plus de 10 000 morts chez les Algériens.

23 mai 1945
Le gouvernement allemand est dissout et la commission de contrôle alliée (Grande-Bretagne, États-Unis, URSS et France) administre l'Allemagne.

Le 2 septembre 1945, sur le navire de guerre américain *Missouri*, la délégation japonaise attend la signature de la capitulation.

Le procès de Tokyo

À partir de mai 1946, à Tokyo, le tribunal militaire international pour l'Extrême-Orient juge 28 anciens dirigeants politiques et militaires japonais accusés de crimes de guerre, de crimes contre la paix et de crimes contre l'humanité. L'empereur Hirohito n'est pas parmi les accusés. Le général MacArthur, commandant les troupes américaines d'occupation au Japon, explique que « son inculpation provoquerait parmi le peuple de très graves remous, dont on ne saurait sous-estimer les répercussions ». Le 12 novembre 1948, 7 accusés sont condamnés à la peine capitale et sont pendus ; les autres sont condamnés à des peines de prison. Au moment où la tension entre les Américains et les Soviétiques grandit, le procès de Tokyo occulte une partie des crimes commis par les Japonais et le rôle joué par Hirohito. Car, pour faire du Japon leur base avancée en Extrême-Orient contre l'URSS*, les Américains essaient de gagner la sympathie du peuple japonais.

Les crimes japonais

Dès 1931, les Japonais ont multiplié les meurtres, les viols et les pillages en Chine. Les prisonniers de guerre ne sont pas non plus épargnés. Les conditions de détention semblables à celles des camps de concentration nazis, et l'extermination par le travail ou par les "marches de la mort" dans les jungles d'Asie ont fait des milliers de morts parmi les prisonniers britanniques, australiens, néo-zélandais, américains, hollandais, français, indonésiens... Les peuples que le Japon devaient délivrer du colonialisme occidental ont été brutalisés. Les Japonais ont également pratiqué des expériences "médicales" sur des prisonniers de guerre et des Chinois.

Des prisonniers de guerre alliés, près de Yokohama, libérés par la US Navy le 29 août 1945.

26 juin 1945
Lors de la conférence de San Francisco, 50 États élaborent la charte des Nations unies : maintenir la paix, favoriser le désarmement, le développement économique et social, les droits de l'homme. L'Organisation des Nations unies (ONU) est créée le 24 octobre 1945.

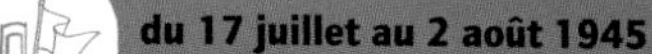

du 17 juillet au 2 août 1945
Conférence sur l'après-guerre à Potsdam entre Staline, Truman et Churchill pour fixer les nouvelles frontières de l'Allemagne, organiser son occupation, sa dénazification et son économie.

Le bilan de la guerre

La Seconde Guerre mondiale est une véritable catastrophe pour l'humanité. Jamais une guerre n'a été aussi destructrice.

À Berlin, en 1946, comme dans toutes les villes en ruine d'Allemagne, les femmes sont réquisitionnées de force par les Alliés pour déblayer tous les gravats causés par les bombardements et les combats.

Le lourd tribut payé par l'humanité

Cette guerre a fait plus de 50 millions de victimes militaires et civiles : près de 20 millions de morts en URSS*, 7,4 millions en Allemagne, 5,8 en Pologne, 2 au Japon, 400 000 au Royaume-Uni, 291 000 aux États-Unis, 640 000 en France, dont 400 000 civils... Le génocide des Juifs a fait 5,6 millions de victimes.

Un carnage sans précédent

C'est une véritable tragédie. La dignité humaine a été bafouée. Les tortures, les bombardements, les viols, les pillages, le travail forcé, les déportations de populations (30 millions de personnes), les camps de concentration et d'extermination nazis et les génocides juif et tsigane, révèlent la barbarie humaine. À la fin de la guerre, l'humanité entre dans l'ère nucléaire : une seule bombe peut désormais tuer des dizaines de milliers de personnes.

Les destructions

La Seconde Guerre mondiale a engendré des destructions considérables, notamment en Europe. En Allemagne, 70 % des villes sont rasées. En France, de très nombreuses villes sont détruites. L'Europe de l'Est, où la famine reparaît, est un champ de ruines : des grandes cités, comme Varsovie et Stalingrad, et des centaines d'autres villes et villages sont rayés de la carte.

En 1945, la ville de Varsovie n'est plus qu'un amas de cendres et de ruines.

6 et 9 août 1945
Deux bombes atomiques explosent. L'une à Hiroshima, l'autre à Nagasaki. Ces bombes d'une puissance inégalée utilisent les réactions de la fission de l'uranium pour Hiroshima, ou du plutonium pour Nagasaki.

9 août 1945
Les Soviétiques entrent en guerre contre le Japon. Ils envahissent la Mandchourie et la Corée. Près d'1 million de soldats japonais sont faits prisonniers.

L'Europe après la Seconde Guerre mondiale

- Allemagne : zone britannique
- Allemagne : zone américaine
- Allemagne : zone soviétique
- Allemagne : zone française
- Autriche : zone interalliée
- Gains territoriaux de la Pologne
- Gains territoriaux de la Yougoslavie
- Gains territoriaux de l'URSS
- Gains territoriaux de la Grèce
- Gains territoriaux de la France (rectification de frontières)

Une économie bouleversée

L'économie européenne est anéantie. Si la Pologne a perdu la quasi-totalité de son industrie, l'Allemagne doit repartir de zéro. La France connaît un redressement, mais reste encore dépendante des Anglo-Américains. La Grande-Bretagne, qui combat sans relâche depuis 1939, sort épuisée de cette épreuve. De plus, les empires coloniaux sont ébranlés. Seuls les États-Unis sortent renforcés du conflit. Ils détiennent 80 % du stock d'or mondial, ont doublé leur production industrielle et augmenté leur revenu national de 75 %. L'URSS victorieuse occupe une partie de l'Europe, mais elle a subi des pertes humaines et matérielles terribles et sort de la guerre, elle aussi, véritablement exténuée.

La naissance de la guerre froide

La fin de la guerre marque le début de l'opposition entre les deux superpuissances : les États-Unis et l'Union soviétique. Le terme de "guerre froide" illustre ce conflit latent et indirect. En Europe centrale, les communistes s'imposent et forment un bloc autour de l'URSS. Suite à cela, Churchill annonce qu'un "rideau de fer" s'est abattu sur cette partie de l'Europe.

En 1945, pour éviter une nouvelle tragédie mondiale, l'Organisation des Nations unies (ONU) est créée. Mais si l'ONU permet de maintenir un lien entre les deux grandes puissances, elle ne dispose pas des moyens d'imposer une vision pacifique du monde.

L'emblème des Nations unies a été approuvé le 7 décembre 1946. Une carte du monde entourée d'une couronne de branches d'olivier symbolisant la paix y figurent.

15 août 1945
La maréchal Pétain est condamné à mort pour trahison par la Haute Cour de justice. En raison de son âge, sa condamnation est commuée en internement à vie par le général de Gaulle. Laval est condamné à mort le 9 octobre et exécuté le 15.

2 septembre 1945
Dans la baie de Tokyo, sur le cuirassé américain *Missouri*, le général MacArthur et l'amiral Nimitz reçoivent la capitulation officielle du Japon. Le général Leclerc y représente la France.

Lexique

active (armée d')
Elle est composée des appelés – les jeunes gens effectuant leur service militaire obligatoire –, des engagés volontaires et des militaires de carrière.

AEF
Afrique équatoriale française comprenant les territoires du Tchad, de l'Oubangui-Chari (actuelle République centrafricaine), du Congo et du Gabon.

AFN
Afrique française du Nord comprenant l'Algérie – territoire français –, le Maroc et la Tunisie (protectorats).

Afrikakorps
Troupes allemandes, commandées par le général Rommel, envoyées en Afrique du Nord pour soutenir les Italiens.

Alliance (ou Triple-Alliance)
Voir Entente

AOF
Afrique occidentale française comprenant le Sénégal, la Mauritanie, le Soudan français (actuel Mali), la Haute-Volta (Burkina Faso), le Dahomey (Bénin), la Côte-d'Ivoire, la Guinée et le Niger.

armistice
Suspension des hostilités entre des belligérants. Ainsi, par exemple, la France et l'Allemagne ont signé un armistice en juin 1940, mais pas la paix.

artillerie
Concerne tous les canons.

autocratie
Système de gouvernement dans lequel le souverain n'est pas choisi. Il est investi par lui-même et il ne reconnaît aucune limitation à son autorité. C'est l'inverse de la démocratie.

Axe
Alliance formée en 1936 par l'Allemagne et l'Italie, et étendue pendant la guerre au Japon, à la Roumanie, à la Bulgarie et à la Hongrie.

Blitz
Mot allemand signifiant "éclair". Il désigne les attaques aériennes allemandes contre la Grande-Bretagne durant la Seconde Guerre mondiale. Le Blitz avait pour but de terroriser la population civile et de détruire les ports et les grands centres industriels.

blocus
Action complémentaire des opérations militaires visant à asphyxier l'ennemi en interceptant ses approvisionnements. En 1914, les marines alliées imposent à l'Allemagne un blocus maritime, qui devient particulièrement efficace et gênant.

colonie
Territoire éloigné conquis, occupé, administré puis exploité par un pays. Au XIXe siècle, les États européens, et particulièrement l'Angleterre et la France, s'étendent en Afrique et en Asie. Elles sont alors à la tête d'immenses **empires coloniaux**.

conscription
Inscription sur les registres de l'armée des jeunes hommes ayant 19 ans, l'âge légal pour le service militaire. Les jeunes gens reconnus aptes à l'effectuer sont des conscrits.

cosaque
En 1914, cavalier de l'armée russe.

Dantzig
Nom allemand de Gdansk, ville portuaire de la Baltique peuplée en majorité d'Allemands. En 1919, elle devient une ville libre sous le contrôle de la SDN*.

diktat
Signifie "chose dictée" en allemand. Il désigne un traité, une exigence ou une revendication imposés à un faible ou un vaincu, et n'ayant bien souvent que la force pour justification.

dreadnought
Mot anglais signifiant "qui ne redoute rien". Il désigne un nouveau type de cuirassé (gros navire de guerre fortement blindé et armé d'artillerie lourde) lancé en Angleterre en 1906. Pour répondre à la marine allemande, des bâtiments de guerre encore plus puissants sont lancés avant 1914, les **super-dreadnoughts**.

Entente (ou Triple-Entente)
Nom donné au système d'accords et d'alliances conclus entre la France, la Russie, puis l'Angleterre à partir de 1893, et qui s'oppose à ceux de la Triple-Alliance (ou Triplice) réunissant l'Allemagne, l'Autriche-Hongrie et l'Italie. Le rapprochement franco-anglais de 1904 est appelé **Entente cordiale**.

ersatz
Mot d'origine allemande qui veut dire "produit de remplacement". Par exemple, pendant la guerre, le sucre étant devenu rare, il est remplacé par de la saccharine, un produit sucrant fabriqué chimiquement.

escorteur
Petit navire militaire chargé d'assurer l'escorte des convois de bateaux marchands et de les protéger contre les attaques de sous-marins.

faction
Guet ou surveillance effectué par un militaire souvent appelé sentinelle.

fantassin
Voir infanterie

fasciste
Relatif au fascisme, une idéologie politique totalitaire qui ne tolère aucune opposition. Benito Mussolini l'instaure en 1922 en Italie. Elle est fondée sur le nationalisme*, l'anticommunisme, le corporatisme (organisation des travailleurs en corporations), le culte du chef, la violence et l'expansionnisme territorial.

FFI
Forces françaises de l'intérieur. Créées le 1er février 1944, elles regroupent les organisations militaires de la Résistance : les Francs-Tireurs et Partisans, l'Armée secrète et l'Organisation de résistance de l'armée.

Flak
Abréviation de *Fliegerabwehr-kanone* (littéralement "canon de défense contre avion"). C'est la défense antiaérienne allemande.

fusilier
Marin militaire appartenant à un corps spécial destiné au combat sur terre.

généralissime
Général à qui est confié le commandement suprême de l'ensemble des armées d'un État ou de plusieurs États alliés.

Gestapo
Vient de l'allemand *Geheime Staatspolizei* signifiant "police secrète d'État". C'est la police politique nazie. Elle est créée en 1933 et est chargée de réprimer l'opposition politique en Allemagne, puis la résistance en Europe.

haut-fourneau
Immense four chauffé à haute température, dans lequel on introduit du minerai de fer. Celui-ci, après fusion, devient un métal liquide appelé fonte, qui se coule directement dans des moules.

impérialisme
Politique d'un État qui cherche à dominer d'autres pays.

infanterie
Troupes qui combattent à pied, composées de fantassins.

interallié
Se dit de la politique commune, des actions décidées en commun et du commandement entre alliés au cours des opérations.

Kaiser
"Empereur" en allemand. Guillaume II est le Kaiser d'Allemagne de 1888 à 1918.

kapo
Vient de l'allemand *Kameraden-polizei* : "police des camarades". Ce terme désignait les détenus d'un camp de concentration, choisis par les SS* pour disposer d'une autoritésur les autres détenus.

krach
Vient de l'allemand et désigne l'effondrement des cours d'un marché financier.

Kriegsmarine
Nom de la marine de guerre allemande.

Luftwaffe
Armée de l'air allemande.

marché noir
Commerce parallèle, illicite et clandestin, donc interdit, qui se développe surtout en période de guerre et de rationnement. Il permet de se procurer des denrées et des produits difficiles à trouver, mais à des prix excessifs.

mortier
Pièce d'artillerie ancienne, avec un tube court, spécialement conçue pour le tir vertical. La guerre des tranchées oblige à utiliser puis à perfectionner ce système pour effectuer des tirs courbes.

mouillage de mines
Action de déposer des mines fixes ou dérivantes à proximité d'un port, devant des passages obligés ou le long des routes maritimes empruntées par l'ennemi. Beaucoup de bateaux sombrent après avoir heurté une mine.

mutinerie, se mutiner
Mouvement collectif de révolte et de refus. Ceux qui se rebellent sont des **mutins**. En 1917, par exemple, fatiguée et ne voulant plus attaquer n'importe où ni n'importe comment, une partie de l'armée française se mutine.

nationalisme
Doctrine politique fondée sur l'idée que la nation est au premier rang des valeurs politiques et sociales, qu'elle a des droits et qu'elle doit pouvoir s'imposer aux autres nations pour se développer, même par la guerre. Ceux qui, de façon déterminée, défendent les idées, les politiques, la culture ou les produits nationaux sont des **nationalistes**.

national-socialiste
Relatif à la doctrine politique raciste, antisémite, antidémocratique, anticommuniste qui affirme que le peuple allemand est destiné à dominer le monde. Cette doctrine est exposée par Adolf Hitler dans son livre *Mein Kampf* (Mon combat), en 1923.

Navy, ou Royal Navy
Nom de la marine militaire britannique.

no man's land
Expression anglaise qui se traduit par "le pays de personne". Elle désigne la zone dévastée, criblée de trous d'obus et plantée de fils de fer barbelés, qui est située entre les premières lignes de deux armées ennemies.

ossuaire
Sépulture collective pour les dépouilles anonymes.

Panzer
Blindé, en allemand. Ce terme désigne plus particulièrement les chars.

partisans
Combattants volontaires n'appartenant pas à l'armée régulière et menant une guérilla dans les forêts, les montagnes, mais aussi en ville. Les maquisards français, les communistes yougoslaves du maréchal Tito et les Soviétiques se battant derrière les lignes allemandes ont formé des unités de partisans.

permission
Congé accordé aux militaires. En France, les premières permissions données pendant une guerre le sont en mai 1915. De seulement 6 jours deux fois par an, elles ne deviennent régulières et plus nombreuses pour tous qu'en 1917. Les soldats en permission sont appelés **permissionnaires**.

pogrom
Mot russe désignant des émeutes antisémites en Russie tsariste, s'accompagnant du pillage des biens juifs et de meurtres de Juifs.

poilu
Surnom donné à partir de 1915 aux combattants français. Les jeunes soldats imberbes qui arrivent dans les tranchées découvrent des hommes plus âgés, mal rasés, avec des moustaches et souvent de la barbe. Dans l'argot de l'époque, un poilu est également un homme qui a beaucoup vécu.

RAF
Voir Royal Air Force.

rapine
Vol, pillage. Les soldats qui manquent de tout vivent beaucoup de rapines faites dans les villages en ruine, les maisons abandonnées, les poulaillers...

Reich
Mot allemand signifiant "empire". Le Ier Reich est celui du Saint Empire germanique (962-1806). Le IIe dure de 1871 à 1918. Le IIIe est le régime hitlérien de 1933 à 1945.

réserviste
Homme non engagé dans l'armée d'active, mais qui peut être mobilisé en cas d'état de guerre de son pays.

Royal Air Force (RAF)
Armée de l'air britannique.

Russie blanche
En 1918, après que les bolcheviks ont pris le pouvoir et traité une paix séparée avec l'Allemagne, une violente guerre civile éclate en Russie. Elle oppose jusqu'à fin 1920 l'armée de Lénine, dite Armée rouge, à des factions et des troupes hostiles à ce nouveau pouvoir ou fidèles au tsarisme ou aux Alliés. Le territoire que ces troupes défendent s'appelle la Russie blanche, et les forces militaires loyalistes sont les armées blanches.

sammy, sammies
Surnom amical donné au soldat américain à partir de 1917, puisqu'il est envoyé par l'Oncle Sam, l'un des symboles des États-Unis. L'Anglais est le tommy, le Belge le jass, et le Français le poilu. Pour l'Allemand, c'est le terme péjoratif de boche qui est employé.

Société des Nations (SDN)
Organisation internationale créée en 1919 par le traité de Versailles. Installée à Genève, elle a comme vocation le maintien de la paix entre les peuples. Elle disparaît en 1946, remplacée par l'Organisation des Nations unies (ONU), qui a son siège à New York.

sonar
Mis au point en 1915, c'est un appareil qui permet de détecter la présence de sous-marins en plongée par l'utilisation des ultrasons.

Special Air Service (SAS)
Unité de commandos parachutistes britanniques destinée à agir en Europe occupée. Les SAS combattront également en Libye. Des parachutistes français sont intégrés aux SAS.

SS
Initiales des *Schutzstaffeln* ("sections de sécurité"), organisations du parti nazi qui, à partir de 1934, dirigent les camps de concentration. Pendant la guerre, les SS se développent et forment notamment les Waffen SS : les SS armées. Ces initiales désignent également les personnes faisant partie de cette organisation.

STO
Service du travail obligatoire instauré par Vichy sous la pression allemande en février 1943. Il prévoit d'envoyer des jeunes Français travailler en Allemagne. De nombreux réfractaires rejoindront les maquis de la Résistance.

super-dreadnought
Voir dreadnought

Triple-Alliance, Triple-Entente
Voir Entente

U-Boot(e)
Sous-marin(s) allemand(s).

URSS
Union des républiques socialistes soviétiques instaurée par Lénine en 1922, après la victoire des bolcheviks (communistes) contre les armées "blanches " favorables à la monarchie tsariste. Cet immense État d'Europe et d'Asie est composé, à l'époque de la Seconde Guerre mondiale, de quinze républiques.

Ville ouverte
Une ville déclarée "ouverte" ne doit pas être défendue et ne doit contenir aucune force armée. L'armée d'occupation qui s'y installe s'abstient de toute attaque contre elle. Les blessés, s'il y en a, doivent être soignés sans aucune distinction entre amis et ennemis.

Wehrmacht
Armée allemande comprenant la Heer (armée de terre), la Kriegsmarine* et la Luftwaffe*.

Weimar
Capitale du grand-duché de Saxe-Weimar, dans laquelle le gouvernement provisoire allemand s'installe à la fin de l'année 1918. Il y proclame la constitution de la République allemande, dite de Weimar, en 1919.

Index Première Guerre mondiale

Les numéros de page en italique renvoient aux mots indexés dans la frise.

Index Seconde Guerre mondiale

Les numéros de page en italique renvoient aux mots indexés dans la frise.

Crédit iconographique

1re de couverture et page de titre, h : CAPM ; m : CAPM ; b : Lapi / Roger-Viollet - **4e de couverture** bg : Library Congress Washington ; b : D.R. - **3**, dessin : Ch. Jégou; h : CAPM - **4** : CAPM - **5** : CAPM - **6** h : AKG ; b : M. Sinier - **7** hd : DR; bg : CAPM; bd : AKG - **8** : CAPM - **9** h : CAPM; b : R. Dazy/Rue des Archives - **10** : CAPM - **11** h : CAPM; m : AKG; b : M. Sinier - **12** h : AKG; m : M. Sinier - **13** h, b : CAPM; m : M. Sinier - **14-15** : J.-J. Hatton - **16** h : CAPM; b : Branger/Roger-Viollet - **17** h : AKG; b : CAPM - **18-19** : CAPM - **20** : CAPM - **21** hg, b : CAPM; hd : M. Sinier - **22** : CAPM - **23** h, bg : CAPM; bd : Imperial War Museum - **24** h : AKG; b : CAPM - **25** : CAPM - **26** m : Vision 7/ Gaumont/ECPA - **26-27** : F. Martin - **28** h : M. Sinier; b : DR - **29** : CAPM - **30-31** : Ch. Jégou - **32** : CAPM - **33** hg, hd, bg, bd : CAPM; md : P. Warin - **34-35** : CAPM - **36-37** : CAPM - **38** : CAPM - **39** hg, hd : CAPM; b : M. Sinier - **40-41** : CAPM - **42** : CAPM - **43** h : CAPM; bg : DR - **44** : CAPM - **45** hd : ECPA; m, b : CAPM - **46** h : ECPA; b : DR - **47** : CAPM - **48** : CAPM - **49** h : CAPM; b : AKG - **50** b : CAPM - **50-51** : Mémorial de Verdun - **52-53** : CAPM - **54** h : Library Congress Washington; b : CAPM - **55** : CAPM - **56** : CAPM - **57** h : AKG; b : ND/Roger-Viollet - **58** h : AKG - **58-59** : L. Favreau - **59** m : CAPM - **60** h : CAPM ; b : AKG - **61** h : DR; b : CAPM - **62** h, m : AKG; b : Bridgeman Art Library - **63** h : AKG/Ullstein Bild; b : AKG - **64** : CAPM - **65** h : M. Sinier; b : Library Congress Washington - **66** h : Library Congress Washington; b : CAPM - **67** h : AKG; m : CAPM; bg : Library Congress Washington - **68** h : AKG; b : Photos12.com/Oasis - **69** : CAPM - **70** h : CAPM; b : AKG - **71** h : AKG; b : M. Sinier - **72** h : CAPM; b : Musée de l'Armée - **73** : CAPM - **74** h : G. Bassignac/GAMMA; b : Mémorial de la clairière de l'armistice - **75** h : F. Charel/ Hoa-Qui; bg : J. Cedre/Grandeur Nature/Hoa-Qui; bd : E. Lessing/AKG - **77** : Ch. Jégou ; h : Lapi / Roger-Viollet - **80-81** : AKG - **82** : AKG - **83** h : M. Sinier ; bd : AKG - **84-85** : AKG - **86-87**, dessins : D. Grant ; photos : AKG - **88** hd : AKG ; bg : Lapi / Roger-Viollet - **89** hd : Centre national Jean Moulin / Keystone ; mg : AKG ; b : Photos12.com-Oasis - **90-91** : M. Sinier - 17 m : D.R. - **92** hg : Keystone ; md : AKG - **93** h : Collection Roger-Viollet ; bd : D.R. ; bg : Keystone - **94** h : D. Grant ; b : L. Stefano - **95** hg : G.P. Faleschini ; hd et b : AKG - **96** h : Photos12.com-Oasis, Collection particulière ; b : Photos12.com-ARJ - **97** h : J.-M. Steinlein / Keystone ; m : Photos12.com-Oasis ; b : J.-M. Steinlein / Explorer Archive - **98-99** : G. P. Faleschini - **100** h : AKG ; b : Photos12.com - Collection Bernard Crochet - **101** h : AKG ; m : Harlingue / Roger-Viollet - **102** hd et bd : AKG ; m : M. Sinier - **103** : AKG - **104** h : Little Big Man ; b : AKG - **105** h et b : AKG ; m : Little Big Man - **106** h : AKG ; b : M. Sinier - **107** h : US National Archives / Roger-Viollet ; b : Photos12.com-Keystone Pressedienst ; b : Keystone - **108** h : AKG ; b : D.R. - **109** h : Lapi / Roger-Viollet ; m : Collection Roger-Viollet ; b : D. Grant - **110** h : Collection Roger-Viollet ; b : M. Sinier - **111** h et b : Little Big Man - **112-113** : AKG - **114** : BBC - **115** hd et hg : BBC ; b : Collection Roger-Viollet - **116** h : Lapi / Roger-Viollet ; b : AKG - **117** h : Photos12.com -Collection Bernard Crochet ; b : AKG - **118-119** : D. Grant - **120** h : Photos12.com -Hachedé ; b : AKG - **121** h : AKG ; b : Little Big Man - **122-123** : G.P. Faleschini - **124**, dessins : D. Grant ; bg : AKG - **125** hg et bd : AKG ; dessins : D. Grant - **126** : AKG - **127** : AKG ; dessin : D. Grant - **128** h : M. Sinier ; m : Photos12.com-Hachedé ; b : Little Big Man - **129** h : AKG ; b : BBC - **130** h : M. Sinier ; b : Collection Roger-Viollet - **131** h : Keystone ; b : AKG - **132-133** : D. Grant - **134** g : Keystone ; d : M. Sinier - **135** h : Collection Roger-Viollet ; b : Photos12.com-Collection Dite-Usis - **136** h : Little Big Man ; b : BBC - **137** : Little Big Man - **138** h : M. Sinier ; b : Little Big Man - **139** : Ch. Jégou - **140** h : W. Laski / Keystone ; b : D.R. - **141** h : M. Sinier ; b : Little Big Man - **142-143** : Little Big Man - **144-145** : AKG - **146** h : AKG ; b : Photos12.com-Keystone Pressedienst - **147** h : Keystone ; b : AKG - **148** : AKG - **149** h : M. Sinier ; b : D.R.

Les pictogrammes illustrant la frise ont été dessinés par Nicolas Julo.

Couverture : Armelle Riva

15/27 rue Moussorgski, 75018 Paris
Dépôt légal : janvier 2014
ISBN : 978 2 215 15453 2
Code MDS : 591757
Numéro d'édition : M13161
Achevé d'imprimer chez C&C en Chine

Loi n° 49-956 du 16 juillet 1949 sur les publications destinées à la jeunesse.